La Chasse au météore

Version d'origine

Jules Verne

La Chasse au météore

Version d'origine

Préface et notes d'Olivier Dumas
Président de la Société Jules Verne

Stanké

Données de catalogage avant publication (Canada)

Verne, Jules, 1828-1905

La chasse au météore

ISBN 2-7604-614-8

1. Titre.

PQ2469.C4 1998   843'.8   C97-941540-3

Couverture: Francis Back *(illustration)*
                Hiérographe Publicité *(conception graphique)*
Infographie: PageXpress

Les Éditions internationales Alain Stanké bénéficient du soutien financier du Conseil des Arts du Canada et de la Société de développement des entreprises culturelles (SODEC) pour leur programme de publication.

ISBN 2-7604-0614-8

Dépôt légal : Bibliothèque nationale du Québec, 1998

Les Éditions internationales Alain Stanké
612, rue Saint-Jacques
Montréal (Québec) H3L 4M8
Tél. (514) 396-5151
Fax (514) 396-0440

IMPRIMÉ AU QUÉBEC (CANADA)

PRÉFACE

Qui va à *La chasse* perd sa place

Après sa mort, le 24 mars 1905, Jules Verne laisse six romans – et un recueil de nouvelles – prêts à paraître : *Le Volcan d'or*, *Le Secret de Wilhelm Storitz*, *En Magellanie*, *Le Beau Danube jaune*[1], *La Chasse au météore* et *Le Phare au bout du monde*.

Michel Verne, le fils de l'écrivain, à la demande de l'éditeur Jules Hetzel fils, récrit les œuvres laissées par son père et les dénature. Aussi la parution des authentiques romans posthumes de Jules Verne s'imposait-elle dans leur «version d'origine».

Après une première publication en tirage très limité, de 1985 à 1989, la *Société Jules Verne* confie aux éditions Stanké la réédition de ces textes inédits, retrouvés par Piero Gondolo della Riva chez les descendants de l'éditeur.

Pour achever la parution des ouvrages posthumes, il conviendrait encore de faire connaître, dans leur version manuscrite, *Le Phare du bout du monde* et le recueil *Hier et Demain*, tels que l'auteur les avait composés.

---

1. Les quatre premiers romans cités ont paru aux éditions Stanké, de 1995 à 1997.

La Chasse au météore, roman satirique

Après le sombre *En Magellanie*, voici un roman léger et souriant. Verne aimait ainsi alterner ouvrages sérieux et fantaisistes, en sachant qu'il n'est jamais aussi sérieux qu'en plaisantant.

En 1901, bien qu'âgé de 73 ans, le romancier connaît une activité étonnante. Dans cette seule année, il écrit, l'un après l'autre, trois romans : *Le Beau Danube jaune*, *Le Phare du bout du monde* et *La Chasse au météore* – d'abord intitulé «Le Bolide» – sans compter la révision du *Secret de Storitz*.

La Chasse au météore dépeint, sur le mode humoristique et fantaisiste, la pitoyable rivalité de deux astronomes amateurs pour posséder une sphère d'or apparue dans l'espace. De cette chasse cosmique et comique, les rivaux reviendront bredouilles, perdant leur place de découvreurs de bolide. Céleste observation, sur laquelle Verne ironise en rappelant cette vérité de Brillat-Savarin : «La découverte d'un plat nouveau fait plus pour le bonheur de l'humanité que la découverte d'une étoile !»

Sous la verve de l'humour «astronomique», qualifié de «météorolique», percent des vérités et des réflexions sur le mariage, le divorce, la liberté des mœurs en Amérique, la spéculation de l'or et la vanité des richesses – et même de l'angoisse et de la métaphysique : beaucoup de sujets graves, pour une œuvre jugée «légère».

Le travail simultané, l'écriture de *La Chasse* et la révision de *Storitz*, se confirme : l'histoire du météore apparaît comme le contrepoint fantaisiste de *Storitz*. Dans les deux œuvres, une vierge éplorée et un fiancé malheureux, rappel du «complexe d'Herminie»[2], l'amour contrarié que l'écrivain n'oubliera jamais. Francis Gordon, avocat comme l'était Verne, voit son mariage interdit par son futur beau-père, comme le fut également celui du jeune Jules par la famille d'Herminie qui préféra l'or d'un hobereau à l'hypothétique gloire littéraire du

---

2. «Complexe» décrit par Christian Chelebourg, «Le blanc et le noir», *BSJV* n° 77, 1er tr. 1986.

poète. Mais, ici, le fiancé n'a pas de rival, seules s'opposent à lui la jalousie et la cupidité d'un astronome. Dans *Storitz* et *La Chasse*, se retrouvent aussi la même angoisse d'une ville sous la crainte, des actes de Wilhelm Storitz pour Ragz, et de la chute du bolide pour Whaston :

> «Je ne saurais la mieux comparer (Ragz) qu'à une ville d'un pays envahi, sous la crainte perpétuelle du bombardement, alors que chacun se demande où tombera la première bombe, et si sa maison ne sera pas la première détruite!» (Storitz, p. 143).

Une phrase similaire est reprise dans *La Chasse* :

> «Enfin l'impression générale pouvait être définie ainsi : celle des habitants d'une ville assiégée, dont le bombardement peut commencer d'un instant à l'autre et qui s'attendent à ce qu'une bombe vienne écraser leur maison!» (chap. VI).

*
*   *

Le manuscrit de *La Chasse au météore*

Bien que corrigé par l'auteur, le manuscrit de *La Chasse* mérite quelques révisions. Le temps de l'action, du 27 mars à septembre 1901, reste très proche des dates de composition, puisque le roman fut écrit du 27 mai au 15 décembre 1901. Mais, après avoir d'abord situé l'histoire en hiver au lieu du printemps, Verne oublie de changer la saison dans le deuxième chapitre, où «novembre» subsiste pour «mai». Michel Verne répare cette bévue que nous maintenons pour conserver le texte original.

Comme pour tous les romans posthumes, nous respectons intégralement le style de l'auteur, nous bornant à ajouter ou supprimer quelques virgules ou majuscules. Pour cette nouvelle édition, le texte a été revu et corrigé, mais nous laissons – avec des notes correctives – les erreurs de calcul ou de dates que l'écrivain aurait rectifiées. Nous conservons l'orthographe parfois fantaisiste de certains noms et les néologismes, comme «météorolique».

*
* *

Les sources et les thèmes de *La Chasse au météore*.

Jules Verne portait en lui ce sujet depuis près de trente ans, depuis la composition d'*Hector Servadac* en 1874. Dans cette dernière œuvre, l'écrivain avait osé imaginer la chute sur la Terre de la comète Gallia, composée «d'un tellurure d'or», et la ruine des capitalistes. Hélas! son chapitre de conclusion fut interdit par Hetzel père, au profit d'un dénouement irréel ou Servadac n'aurait «fait qu'un rêve»[3].

Un quart de siècle plus tard, dans *La Chasse*, roman mis de côté pour que les générations futures en prennent connaissance, Verne prend sa revanche et peut, librement cette fois, exprimer son mépris pour l'or, manifesté de son premier à ses derniers «Voyages extraordinaires».

Dans *Cinq semaines en ballon*, l'écrivain blâme déjà le précieux métal : des pierres, entassées dans la nacelle du ballon pour servir de lest, se révèlent en or ; Joe, à son grand désespoir, doit les rejeter.

> «Vois – dit Fergusson – ce que peut la puissance de ce métal sur le meilleur garçon du monde. Que de passions, que d'avidités, que de crimes enfanterait la connaissance d'une pareille mine !»(chap. XXIII).

Dans trois des six romans posthumes (*Le Volcan d'or*, *En Magellanie* et *La Chasse au météore*), Jules Verne développe ses sentiments agressifs envers l'or, libéré par l'absence de censure[4]. Dans *La Chasse*, chap. XVII), l'écrivain, comme nous l'avons signalé, reprend certains traits des mœurs américaines,

---

3. Voir «Le choc de Gallia choque Hetzel» et «Le premier dénouement d'*Hector Servadac*», *BSJV* n° 75, 3e tr. 1985, p. 220-227.

4. Sur la haine de l'or, voir les préfaces du *Volcan d'or* et d'*En Magellanie*, ainsi que «La maudite soif de l'or dans l'œuvre de Jules Verne», *Revue Jules Verne* n° 2, Amiens, 1997.

déjà décrites dans une ancienne nouvelle, *Le Humbug*[5], composée vers 1870 : la jeune Loo, âgée de quinze ans, se promène seule dans les rues de Whaston et va – de son propre chef – tenter une conciliation entre les deux astronomes. Cette démarche, impensable pour une jeune Française de l'époque, semble appréciée par l'auteur, mais Michel Verne la supprime dans sa « correction » de l'ouvrage.

Les mariages et divorces à l'américaine de M. et Mme Stanfort étonnent encore plus l'écrivain. « J'admire vraiment comme il est facile de se marier en Amérique... presque autant que de divorcer » (conclusion du premier chapitre), remarque – « en philosophe qu'il était » – le juge John Proth, vraisemblable porte-parole de l'auteur[6]. Décider sur un coup de tête de s'unir, puis de se séparer sans raison, quel rêve et quelle envie pour un Français en 1900, auquel un pareil divorce à l'amiable reste interdit ! Là aussi, Michel Verne croit nécessaire de chercher des motifs de rupture et il oppose les époux à propos des astronomes dont ils se moquent.

*

* *

Le hasard, maître du destin

Toute l'action du roman repose sur le seul hasard, ce dieu malin qui – dit Verne – « a l'habitude d'embrouiller et non de débrouiller les choses » (chap. XI). En contradiction avec nos esprits rationnels, dans « cette histoire purement imaginaire » – comme la désigne l'auteur (chap. XVII)[7] – les propositions pour arrêter le bolide demeurent hautement fantaisistes, tel un

---

5. *Mœurs américaines. Le Humbug*, version manuscrite, *BSJV* n° 76, 4e tr. 1985.
6. Réflexion supprimée par Michel Verne qui la remplace par : « Ceux qui se marient ne sont-ils pas tous un peu fous ? », contresens de la pensée de l'auteur, seulement surpris par la facilité en Amérique des mariages et des divorces, mais pas de leur décision.
7. Aveu supprimé par Michel Verne qui tient à rester « raisonnable ».

aimant géant, inefficace sur une sphère d'or; l'écrivain appelle même à l'aide ses propres créations littéraires :

> « Pourquoi ne construirait-on pas un canon aussi puissant que celui qui, il y a quelques années, envoya un boulet dans la Lune ou celui qui, plus tard, tenta par un recul formidable de modifier l'inclinaison de l'axe terrestre ?... Oui, mais ces deux expériences, on ne l'ignorait pas, n'étaient que de pure fantaisie, due à la plume d'un écrivain français, un peu trop imaginatif, peut-être ! » (chap. XI).

Belle homéopathie vernienne, la fiction traitée par la fiction ![8]

Tout au long du roman, les scientifiques – uniquement des astronomes – observent et calculent, mais restent incapables de la moindre action. Le seul moteur demeure le *hasard* dont tout dépend. La petite Loo a beau demander à Dieu « d'arranger les choses », rien n'y fait !

On comprend que des esprits rationnels, comme ceux de Michel Verne et de Jules Hetzel, soient choqués par ce caractère fortuit des événements et qu'ils décident d'y suppléer. Ils ne comprennent pas que le raisonnable tue le fantaisiste. Pourquoi mettre du sérieux dans une œuvre aussi facétieuse ? D'autant qu'entre deux boutades, le juge Proth apporte ses philosophiques réflexions.

*
* *

Les transformations de Michel Verne

Pour récrire *La Chasse au météore*, Michel Verne n'utilise que la copie dactylographiée de 1905, sans consulter le manuscrit de son père. Il laisse ainsi passer, sans le vouloir, de nombreuses fautes de lecture. Par exemple, dans la « version Michel », on reçoit Francis Gordon chez les Huldelsen « comme

---

8. Michel Verne élimine cette spirituelle, mais peu sérieuse, « auto-référence ».

s'il eut été le *dieu* de la maison» – ce qui ne veut rien dire – alors que Jules Verne avait écrit plus simplement : «comme s'il eut été le *fils* de la maison».

On pourrait, cette fois, se dispenser de relever les différents ajouts et les transformations de Michel Verne, car un étonnant document subsiste, retrouvé chez les descendants de l'éditeur et reproduit en fac-similé par P. Gondolo della Riva : la liste de tous les changements de Michel Verne pour *La Chasse au météore*[9]. Ce catalogue des modifications – preuve formelle du travail de «correction» accompli par le fils de l'écrivain – ne signale pas tout, comme les suppressions de réflexions sur le mariage et de critiques des mœurs américaines.

Michel Verne invente surtout un personnage de savant farfelu, Zéphirin Xirdal, qui joue le *deus ex machina* à la place de l'imprévisible hasard. Ainsi l'œuvre n'est-elle plus fantaisiste, la science impose sa volonté sur le déroulement de l'action. Que ce Zéphirin Xirdal soit plutôt réussi, cela n'empêche pas que son introduction alourdit l'œuvre et détruit toute la morale de l'histoire : démontrer que seul le hasard dirige nos vies. Fier de son personnage, Michel Verne se réjouit de voir un «spécialiste de l'étude des œuvres de (son) père louer précisément une partie du roman dont n'existe aucune trace, fût-ce à l'état d'ébauche, dans le manuscrit autographe (Personnage de Zéphirin Xirdal et dénouement)»[10]. Michel Verne reconnaît donc ses «innovations» – dont certains doutent encore ! – et s'en vante.

Autre «enrichissement» de Michel Verne : il donne à la bonne Mitz un langage imagé «d'almanach Vermot» – selon Philippe Lanthony[11] – du genre «met dehors» pour «météore», ce qui amuse peut-être, mais son outrance écrase la légèreté de l'humour initial. Le langage de Jules Verne – libéré de ces intempestifs suppléments – virevolte avec les possessifs du

---

9. P. Gondolo della Riva, «À propos des œuvres posthumes de Jules Verne», *Europe* Nov./Déc. 1978, p. 73-82, suivi de la liste des «innovations principales apportées par M. Michel Verne», reproduite en fac-similé et sa copie, p. 83-88.

10. BN, N.a.f. 17010, n° 63.

11. Ph. Lanthony, «Mon météore à moi», *BSJV* n° 80, 4e tr. 1986, p. 4-7.

bolide, la chasse dans l'espace, l'obsession météorolique, où le mariage n'est qu'une «conjonction d'astres». Verve réjouissante, tant du vocabulaire que de l'action où l'écrivain «lâche sa bonde à sa fantaisie, avec une ironie pétillante et une vivacité de plume»[12] qui rappelle *Sans dessus dessous*.

*
*   *

La sagesse du juge de paix

Encore tout imprégné de la bonhomie du brave Ilia Krusch, héros du *Beau Danube jaune*, roman écrit deux mois plus tôt, Verne laisse au juge Proth, un philosophe voltairien, le soin de conclure son nouvel ouvrage. Toujours calme, M. John Proth émet souvent ses sages avis et retourne avec de plus en plus de plaisir à son jardin, comme Verne dans sa tour – bien qu'on sache qu'il travaille dans un cabinet contigu.

Michel Verne refuse – on ne sait pas pourquoi – de qualifier le juge «de *paix*» et l'empêche, plusieurs fois, de revenir en *paix* cultiver ses fleurs ou «ratisser les allées de son jardin», comme il le fait après avoir prononcé le divorce des époux Stanfort (chap. X).

La version d'origine, la seule authentique, délivrée des changements de Michel Verne – qui, non seulement l'alourdissent mais la dénaturent, – retrouve ses couleurs, sa fantaisie, son charme, son ironique philosophie, sa légèreté et sa fluidité. Avait-elle besoin d'être récrite cette plaisante chasse dans le champ des étoiles? Non! Chassons le savant de cette *Chasse*! En perdant sa place, on lit avec plaisir cette «histoire imaginaire» telle que Verne l'écrivit et telle qu'il voulait l'offrir aux lecteurs du XXe siècle.

Olivier Dumas
Président de la Société Jules Verne

---

12. Ph. Lanthony, «Mon météore à moi», *BSJV* n° 80, 4e tr. 1986, p. 4-7.

I

Dans lequel le Juge de Paix John Proth remplit un de ses plus agréables devoirs professionnels, avant de retourner à son jardin.

Il n'y a aucun motif pour cacher aux lecteurs que la ville dans laquelle se sont succédées les péripéties de cette histoire, est située en Virginie, États-Unis d'Amérique. S'ils le veulent bien, nous l'appellerons Whaston, nous ajouterons qu'elle occupe dans le district oriental la rive droite du Potomac ; mais il nous paraît inutile de préciser davantage, en ce qui concerne cette cité, et il est inutile de la chercher même sur les meilleures cartes de l'Union.

Cette année-là, le 27 mars, dans la matinée, les habitants de Whaston, en traversant Exter-street pouvaient s'étonner de voir un élégant cavalier remonter et redescendre la rue au petit pas de son cheval, puis, finalement, s'arrêter sur la place de la Constitution ; à peu près au centre de la ville.

Le cavalier ne devait pas avoir plus de trente ans. De sa personne se dégageait le type pur du Yankee, lequel n'est point exempt d'une originale distinction. Il était d'une taille au-dessus de la moyenne, de belle et robuste complexion, châtain de cheveux, brun de barbe, figure régulière, sans moustache. Un large ulster le recouvrait jusqu'aux jambes et s'arrondissait sur la croupe du cheval. Il maniait sa monture d'allure vive avec autant d'adresse que de fermeté. Tout dans son attitude indiquait l'homme d'action, l'homme résolu, et aussi l'homme de premier mouvement. Il ne devait jamais osciller entre le désir et la crainte, ce qui est la marque d'un caractère hésitant. En outre, un observateur eût constaté que son impatience naturelle ne se dissimulait qu'imparfaitement sous une apparence de froideur.

Ce jour-là, d'ailleurs, qu'était-il venu faire en cette ville où nul ne le connaissait, où nul ne se fût rappelé l'avoir jamais vu ?... Comptait-il y rester quelque temps ?... En tout cas, il ne semblait pas vouloir s'enquérir d'un hôtel. D'ailleurs, il n'aurait eu que l'embarras du choix. On peut citer Whaston sous ce rapport, et, en aucune autre ville des États-Unis, voyageur ne rencontrerait meilleur accueil, meilleur service, meilleure table, confort aussi complet, à des prix généralement modérés.

Cet étranger ne paraissait point en disposition de séjourner à Whaston. Les plus engageants sourires des hôteliers n'auraient sans doute aucune prise sur lui.

Et ces propos de s'échanger entre les patrons et les gens de service qui se tenaient aux portes depuis que le cavalier avait paru sur la place de la Constitution :

« Par où est-il venu ?...

— Par Exter-street...

— Et d'où venait-il ?...

— Il est entré, à ce qu'on dit, par le faubourg de Wilcox...

— Voilà bien une demi-heure que son cheval fait le tour de la place...

— Est-ce qu'il attend quelqu'un ?...

— C'est probable, et même avec une certaine impatience...

— Il ne cesse de regarder du côté d'Exter-street...

— C'est par là qu'on arrivera probablement...

— Et qui sera cet « on » ?... Il ou elle ?...

— Il a, ma foi, bonne tournure...

— Un rendez-vous alors ?...

— Oui... un rendez-vous, mais non dans le sens où vous l'entendez...

— Et pourquoi ?...

— Parce que voilà trois ou quatre fois que cet étranger s'arrête devant la porte de M. John Proth...

— Et comme M. John Proth est le juge de paix de Whaston...

— C'est que ce personnage est appelé devant lui pour quelque affaire...

— Et que son adversaire est en retard...

— Bon ! le juge Proth les aura conciliés et réconciliés en un tour de main...

— C'est un habile homme...

— Et un brave homme aussi. »

Il était possible que ce fût là le vrai motif de la présence de ce cavalier à Whaston. En effet, à plusieurs reprises, il avait fait halte devant la maison de M. John Proth, sans mettre pied à terre. Il en regardait la porte, il en regardait les fenêtres, il en regardait le frontispice sur lequel se lisaient ces trois mots : *Justice de Paix*... Puis, il restait immobile, comme s'il attendait que quelqu'un parût sur le seuil. Et ce fut là qu'une dernière fois, les gens d'hôtel le virent arrêter son cheval qui, lui aussi, piaffait d'impatience.

Or, voici que la porte s'ouvrit toute grande, et un homme se montra sur le palier du petit perron qui descendait au trottoir.

À peine l'étranger eut-il aperçu cet homme qu'il souleva son chapeau et dit :

« Monsieur John Proth, je suppose ?...

— Moi-même, répondit le juge de paix qui rendit le salut.

— Une simple question qui n'exigera qu'un oui ou un non de votre part...

— Faites, monsieur...

— Une personne serait-elle déjà venue, ce matin, vous demander Seth Stanfort ?...

— Pas que je sache...

— Merci. »

Et, ce mot prononcé, son chapeau soulevé une seconde fois, le cavalier rendit la main, et se dirigea au petit trot vers Exter-street.

Maintenant, – ce fut l'avis général, – il n'y avait plus à mettre en doute que cet inconnu eût affaire à M. John Proth. À la manière dont il venait de poser sa question, il était ce Seth Stanfort et se trouvait le premier à un rendez-vous convenu. Et, comme il y avait peut-être lieu de croire que l'heure dudit rendez-vous était passée, ne venait-il pas de quitter la ville pour n'y plus revenir ?...

On ne s'étonnera pas, puisque nous sommes en Amérique, chez le peuple le plus parieur qui soit en ce bas monde, si des paris s'établirent relativement au retour prochain ou au départ définitif de l'étranger. Quelques enjeux d'un demi-dollar ou même de cinq ou six cents entre le personnel des hôtels et les curieux arrêtés sur la place, pas plus, mais enfin enjeux qui seraient bel et bien payés par les perdants et encaissés par les gagnants, tous gens des plus honorables.

En ce qui concerne le juge John Proth, il s'était borné à suivre des yeux le cavalier qui remontait vers le faubourg de Wilcox. C'était un philosophe, un sage, ce magistrat, et qui ne comptait pas moins de cinquante ans de sagesse et de philosophie, bien qu'il ne fût âgé que d'un demi-siècle, – une façon de dire qu'en venant au monde, il devait être déjà philosophe et sage. Ajoutez à cela que, en sa qualité de célibataire, son existence ne fut jamais troublée par aucun souci. Il était né à Whaston, il n'avait que peu ou pas quitté Whaston, même en sa prime jeunesse. Whaston le savait dépourvu de toute ambition, et il était aussi considéré qu'aimé de ses justiciables. Un sens droit le guidait. Il se montrait toujours indulgent aux faiblesses et parfois aux fautes d'autrui. Arranger les affaires qui venaient devant lui, renvoyer amis les ennemis qui se présentaient à son modeste tribunal, adoucir des angles, huiler des rouages, faciliter les contacts inhérents à un ordre social, si perfectionné qu'il puisse être, c'est ainsi qu'il considérait la mission de juge de paix, et nul magistrat n'était plus que lui digne de ce nom, à proprement parler, le plus beau de tous.

John Proth jouissait d'une certaine aisance. S'il remplissait ces fonctions, c'était par goût, par instinct, et il ne songeait point à monter à de plus hautes juridictions. Il aimait la tranquillité pour lui comme pour les autres. Il considérait les hommes comme des voisins d'existence que rien ne doit jamais troubler. Il se levait tôt et se couchait tôt. Il lisait quelques auteurs favoris de l'Ancien et du Nouveau Monde. Il se contentait d'un bon et honnête journal de la ville, le *Whaston Nouvellist*, où les annonces tenaient plus de place que la politique. Chaque jour, une promenade d'une heure ou deux aux environs, et pendant lesquelles les chapeaux s'usaient à le saluer, ce qui l'obligeait pour son compte à renouveler le sien tous les trois mois. En dehors de ces promenades, sauf le temps consacré à l'exercice de sa profession, il vivait dans sa demeure paisible et confortable, il cultivait les fleurs de son jardin qui reconnaissaient ses bons soins en le charmant par leurs fraîches couleurs, en lui prodiguant leurs plus suaves parfums.

Ce portrait établi en quelques lignes, le caractère de M. John Proth étant placé dans son vrai cadre, on comprendra que ledit juge ne se fût pas autrement préoccupé de la question qui venait de lui être posée par l'étranger. Peut-être, si celui-ci, au lieu de s'adresser au maître de la maison, eut interrogé sa vieille servante Kate, Kate eût voulu en savoir davantage. Elle aurait insisté sur ce Seth Stanfort, demandé ce qu'il faudrait dire, en cas qu'il vînt un cavalier – ou une cavalière – s'enquérir de sa personne. Et même il n'aurait pas déplu à la digne Kate d'apprendre si l'étranger devait ou non, soit dans la matinée, soit dans l'après-midi, revenir à la justice de paix...

M. John Proth ne se fut point pardonné ces curiosités, ces indiscrétions, tout au plus excusables chez la servante, d'abord parce qu'elle était vieille et surtout parce qu'elle appartenait au sexe féminin. Non, M. John Proth ne s'aperçut même pas que l'arrivée, la présence, puis le départ de l'étranger produisait une certaine émotion chez les habitants de la place, et, après avoir refermé la porte de la cour, il vint donner à boire aux roses, aux iris, aux géraniums, aux résédas de son parterre.

Les curieux ne l'imitèrent point et restèrent en observation.

Cependant, le cavalier s'était avancé jusqu'à l'extrémité d'Exter-street, qui dominait le côté ouest de la ville. Arrivé au faubourg de Wilcox, que cette rue met en communication avec le centre de Whaston, il arrêta son cheval, mais n'en descendit pas plus qu'il ne l'avait fait sur la place de la Constitution. De ce point, son regard pouvait s'étendre à un bon mille aux environs, suivre la route sinueuse qui descend pendant trois milles jusqu'à la bourgade de Steel, située au-delà du Potomac, et dont les clochers se profilaient à l'horizon. En vain ses yeux parcoururent-ils cette route. Ils n'y découvrirent sans doute pas ce qu'ils cherchaient. De là, vifs mouvements d'impatience qui se transmirent au cheval, dont les piaffements durent être réprimés par son maître.

Dix minutes s'écoulèrent, et le cavalier, reprenant au petit pas Exter-street, se dirigea pour la cinquième fois vers la place.

«Après tout, se répétait-il, non sans avoir consulté sa montre, il n'y a pas encore de retard... Ce n'est que pour dix heures sept, et il est à peine neuf heures et demie... La distance qui sépare Whaston de Steel, d'où elle doit venir, est égale à celle qui sépare Whaston de Brial, d'où je suis venu, et peut être franchie en moins de vingt-cinq minutes... La route est belle, le temps est au sec, et je ne sache pas que le pont ait été emporté par une crue du fleuve... Il n'y aura donc ni empêchement ni obstacle... Dans ces conditions, si elle manque au rendez-vous, c'est qu'elle n'y aura point apporté toute la diligence que j'y ai mise moi-même... D'ailleurs, l'exactitude consiste à être là juste à l'heure, et non à faire trop tôt acte de présence... Et, en réalité, c'est moi qui suis inexact, puisque je l'aurai devancée plus qu'un homme méthodique ne l'aurait dû... Il est vrai, même à défaut de tout autre sentiment, la politesse me commandait d'arriver le premier au rendez-vous!»

Ce monologue se poursuivit tout le temps que l'étranger mit à redescendre Exter-street, et il ne prit fin qu'au moment où les pas du cheval laissèrent leurs empreintes sur le macadam de la place.

Décidément, ceux qui parièrent pour le retour de l'étranger avaient gagné leur pari. Et, lorsque celui-ci passa le long des hôtels, ils lui firent bon visage, tandis que les perdants ne le saluèrent que par des haussements d'épaule.

Dix heures sonnèrent en ce moment à l'horloge municipale, et, son cheval arrêté, sa montre tirée de son gousset, l'étranger en compta les dix coups et put constater que montre et horloge marchaient en parfait accord.

Il ne s'en fallait plus que de sept minutes pour que l'heure du rendez-vous fût atteinte, et de huit pour qu'elle fût dépassée.

Seth Stanfort revint donc à l'entrée d'Exter-street et assurément ni sa monture ni lui ne pouvaient se tenir au repos.

Un certain nombre de passants animaient alors cette rue. De ceux qui la remontaient, Seth Stanfort ne se préoccupait en aucune façon. Toute son attention allait à ceux qui la descendaient, et son regard les saisissait dès qu'ils se montraient à son extrémité. Elle était assez longue pour qu'un piéton dût mettre une dizaine de minutes à la parcourir; mais trois eussent suffi à une voiture marchant rapidement ou à un cheval au trot pour atteindre la place de la Constitution.

Or, ce n'était point aux piétons que notre cavalier avait affaire. Il ne les voyait même pas. Son plus intime ami eût passé près de lui qu'il ne l'aurait pas aperçu, s'il eût été à pied. La personne attendue ne pouvait arriver qu'à cheval ou en voiture.

Mais arriverait-elle au rendez-vous?... Il ne s'en fallait plus que de trois minutes, juste le temps nécessaire pour descendre Exter-street!... et aucun véhicule ne tournait le dernier coin de la rue, ni motocycle ni bicyclette, non plus qu'une automobile qui, en faisant du quatre-vingts à l'heure, serait encore arrivée en avance au rendez-vous.

Seth Stanfort lança un dernier coup d'œil sur Exter-street. Ce fut comme un vif éclair qui jaillit de sa prunelle, et, en le croisant, on aurait pu l'entendre se dire avec le ton d'une inébranlable résolution :

«Si elle n'est point ici à dix heures sept, je ne l'épouserai pas.»

Or, comme une réponse à cette déclaration, le galop d'un cheval se fit entendre vers le haut de la rue. L'animal, une bête superbe, était monté par une jeune personne qui le maniait avec autant de grâce que de sûreté. Devant lui s'écartaient les passants, et il ne trouverait aucun obstacle jusqu'à la place.

Évidemment, Seth Stanfort reconnut celle qu'il attendait. Son visage redevint impassible. Il ne prononça pas une seule parole, il ne fit pas un geste. Après avoir retourné son cheval, il se rendit d'un pas tranquille devant la maison du juge de paix.

Cela fut bien pour intriguer de nouveau les curieux ; et, cette fois, ils se rapprochèrent, sans que l'étranger leur prêtât la moindre attention.

Quelques instants plus tard, la cavalière débouchait sur la place, et, son cheval, blanc d'écume, s'arrêtait à quelques pas de la porte.

L'étranger se découvrit, et dit :

« Je salue miss Arcadia Walker...

— Et moi, Seth Stanfort », répondit Arcadia Walker, en s'inclinant d'un mouvement gracieux.

Et, l'on peut nous en croire, les regards ne perdaient pas de vue ce couple absolument inconnu des habitants de Whaston. Et ils disaient entre eux :

« S'ils sont venus pour un procès devant le juge Proth, il est à désirer que ce procès s'arrange au profit de tous deux !...

— Il s'arrangera, ou M. Proth ne serait pas l'habile homme qu'il est !...

— Et si ni l'un ni l'autre ne sont mariés, le mieux serait que cela finît par un mariage ! »

Ainsi allaient les langues, ainsi s'échangeaient les propos. Mais ni Seth Stanfort ni miss Arcadia Walker ne semblaient se préoccuper de l'attention plutôt gênante dont ils étaient l'objet.

En ce moment, Seth Stanfort se préparait à descendre de cheval pour frapper à la porte de la Justice de paix, lorsque cette porte s'ouvrit.

M. John Proth apparut de nouveau, et la vieille servante Kate, cette fois, se montra derrière lui.

Ils avaient entendu quelque bruit, un piétinement de chevaux devant la maison, et celui-ci quittant son jardin, celle-là quittant sa cuisine, voulurent savoir ce qui se passait.

Seth Stanfort resta donc en selle, et s'adressant au magistrat :

« Monsieur le juge de paix ?... demanda-t-il.

— C'est moi, monsieur...

— Je suis Seth Stanfort de Boston, Massachusetts...

« — Très heureux de faire votre connaissance, monsieur Seth Stanfort...

— Et voici miss Arcadia Walker de Trenton, New-Jersey...

— Très honoré de me trouver en présence de miss Arcadia Walker. »

Et M. Proth, après avoir observé l'étranger, reporta toute son attention sur l'étrangère.

Miss Arcadia Walker était une charmante personne. Son âge, vingt-quatre ans. Ses yeux, d'un bleu pâle. Ses cheveux d'un châtain foncé. Son teint, d'une fraîcheur que le hâle du grand air altérait à peine. Ses dents, d'une blancheur et d'une régularité parfaites. Sa taille, un peu supérieure à la moyenne. Sa tournure ravissante. Sa démarche, d'une rare élégance, souple et flexible. Sous l'amazone qui la revêtait, elle se prêtait gracieusement aux mouvements de son cheval qui piaffait à l'exemple de celui de M. Seth Stanfort. Les rênes glissaient entre ses mains finement gantées, et un connaisseur eût deviné en elle une habile écuyère. Toute sa personne était empreinte d'une extrême distinction avec cet on ne sait quoi de particulier à la haute classe de l'Union, ce que l'on pourrait appeler l'aristocratie américaine, si ce mot ne jurait pas avec les instincts démocratiques des natifs du Nouveau-Monde.

Miss Arcadia Walker, originaire du New-Jersey, n'ayant plus que des parents éloignés, libre de ses actions, indépendante par sa fortune, douée de l'esprit aventureux des jeunes Américaines, menait une existence conforme à ses goûts, voyageant depuis plusieurs années déjà, ayant visité les principales contrées de l'Europe, au courant de ce qui se faisait et se disait à Paris, comme à Londres, à Berlin, à Vienne ou à Rome. Et ce qu'elle avait entendu et vu au cours de ses incessantes pérégrinations, elle pouvait en parler avec des Français, des Anglais, des Allemands, des Italiens dans leur propre langue. C'était une personne instruite, dont l'éducation, dirigée par un tuteur disparu de ce monde, avait été particulièrement soignée. La pratique des affaires ne lui manquait même pas, et, sa fortune, elle l'administrait avec une remarquable entente de ses intérêts.

Ce qui vient d'être dit de miss Arcadia Walker, se fut appliqué symétriquement – c'est le mot juste – à M. Seth Stanfort. Libre aussi, riche aussi, aimant aussi les voyages, ayant couru le monde entier, il ne résidait guère à Boston, sa ville natale. L'hiver, il était l'hôte de l'Ancien Continent, l'hôte des grandes capitales où il avait déjà rencontré son aventureuse compatriote. L'été, il revenait à son pays d'origine vers les plages où se réunissaient les familles d'opulents Yankees. Là, miss Arcadia Walker et lui s'étaient encore retrouvés. Les mêmes instincts avaient rapproché ces deux êtres, jeunes et vaillants, que les curieux et surtout les curieuses de la place disaient si bien faits l'un pour l'autre, tous les deux avides de voyages, tous les deux ayant hâte de se transporter là où quelque incident de la vie politique ou militaire excitait l'attention publique... On ne saurait donc s'étonner de ce que M. Seth Stanfort et miss Arcadia Walker en fussent peu à peu venus à l'idée d'unir leurs existences, ce qui ne changerait rien à leurs habitudes. Ce ne seraient plus deux bâtiments qui marcheraient de conserve, mais un seul, et, on peut le croire, supérieurement construit, gréé, aménagé pour courir toutes les mers du globe.

Non ! ce n'était point une affaire en discussion, le règlement d'un procès qui amenait Seth Stanfort et miss Arcadia Walker devant le juge de paix de cette ville. Non ! après avoir rempli toutes les formalités légales devant les autorités compétentes du Massachusetts et du New-Jersey, ils s'étaient donnés rendez-vous à Whaston, ce jour même, (27 mars)[1], cette heure même dix heures sept, pour y accomplir cet acte, qui, au dire des connaisseurs, est le plus important de la vie humaine.

La présentation de M. Seth Stanfort et de miss Arcadia Walker au juge de paix ayant été faite, ainsi qu'il vient d'être rapporté, M. Proth n'eut plus qu'à demander au voyageur et à la voyageuse pour quel motif ils comparaissaient devant lui.

« Seth Stanfort désire devenir le mari de miss Arcadia Walker, répondit l'un.

---

1. J.V. avait d'abord donné la date du 29 octobre, oubliée ici et que nous corrigeons.

« — Et miss Arcadia Walker désire devenir la femme de Seth Stanfort, » ajouta l'autre.

Le magistrat s'inclina devant les deux fiancés en disant :

« Je suis entièrement à votre disposition, monsieur Stanfort, et à la vôtre, miss Arcadia Walker. »

Et tous deux s'inclinèrent à leur tour.

« Et quand vous conviendra-t-il qu'il soit procédé à ce mariage ? repris M. John Proth.

— Immédiatement... si vous êtes libre, déclara Seth Stanfort.

— Car nous quitterons Whaston dès que je serai mistress Stanfort », dit miss Arcadia Walker.

L'attitude de M. Proth indiqua combien il regretterait, et toute la ville avec lui, de ne pouvoir garder plus longtemps dans leurs murs ce couple charmant qui les honorait en ce moment de sa présence.

Puis il ajouta :

« Je suis entièrement à vos ordres. »

Et il recula de quelques pas afin de dégager la porte.

Mais M. Seth Stanfort de dire alors :

« Est-il bien nécessaire que miss Arcadia Walker et moi, nous descendions de...

— Aucunement, déclara M. Proth, et on peut aussi bien se marier à cheval qu'à pied. »

Il eût été difficile de rencontrer un magistrat plus accommodant, même en cet original pays d'Amérique !

« Une seule question, repris M. Proth, toutes les formalités imposées par la loi sont-elles remplies ?...

— Elles le sont », répondit Whaston.

Et il tendit au juge un double permis en bonne et due forme qui avait été rédigé par les greffes de Boston et de Trenton, après acquittement des droits de licence.

M. Proth prit les papiers, il affourcha sur son nez ses lunettes à monture d'or, il lut attentivement ces pièces, régulièrement légalisées et revêtues du timbre officiel, et dit :

« Ces papiers sont en règle, et je suis prêt à vous délivrer le certificat de mariage. »

Qu'on ne soit pas surpris si les curieux dont le nombre s'était accru, se pressaient autour du couple, comme autant de témoins d'une union célébrée dans des conditions qui paraîtraient un peu extraordinaires en tout autre pays. Mais cela n'était ni pour gêner les deux fiancés ni pour leur déplaire.

M. Proth revint alors sur le seuil, et d'une voix qui fut entendue de tous, il dit :

« M. Seth Stanfort, vous consentez à prendre pour femme miss Arcadia Walker ?...

— Oui.

— Miss Arcadia Walker, vous consentez à prendre pour mari M. Stanfort ?...

— Oui. »

Le magistrat se recueillit pendant quelques secondes, et sérieux comme un photographe qui va prononcer le sacramentel : ne bougeons plus !... il reprit en ces termes :

« M. Seth Stanfort de Boston et miss Arcadia Walker de Trenton, je vous déclare unis par la loi ! »

Les deux époux se rapprochèrent alors et se prirent la main comme pour sceller l'acte de mariage qu'ils venaient d'accomplir.

Puis, Seth Stanfort, tirant de son portefeuille un billet de cinq cents dollars, le présenta en disant : « Pour honoraires », tandis que mistress Stanfort en présentait un second, disant : « Pour les pauvres ».

Puis, tous deux, après s'être inclinés devant le juge qui les salua respectueusement, rendirent les rênes, et les deux chevaux s'élancèrent rapidement dans la direction du faubourg de Wilcox.

Et M. John Proth de se dire en philosophe qu'il était :

« J'admire vraiment combien il est facile de se marier en Amérique... presque autant que de divorcer ! »

II

Qui introduit le lecteur dans la maison de M. Dean Forsyth, le met en rapport avec son neveu Francis Gordon et sa bonne Mitz.

« M itz... Mitz !...
— Monsieur Francis ?...
— Qu'est-ce qu'il a donc, mon oncle Dean ?...
— Voilà ce que je ne puis deviner, monsieur Francis !...
— Est-ce qu'il est malade ?...
— Non point que je sache, mais si cela continue, il le deviendra pour sûr !... »

Ces demandes et réponses s'échangeaient entre un jeune homme de vingt-trois ans et une vieille femme de soixante-cinq, dans la salle à manger de la maison d'Elisabeth-street, précisément en cette ville de Whaston où venait de s'accomplir le plus original des mariages à la mode américaine.

Cette maison d'Elisabeth-street appartenait à M. Dean Forsyth. Un homme de cinquante-cinq ans et qui paraissait bien les avoir, grosse tête ébouriffée, petits yeux à lunettes d'un fort numéro, épaules légèrement voûtées, cou puissant toujours enveloppé du double tour d'une cravate qui montait jusqu'au menton, redingote ample et chiffonnée, gilet flasque dont les boutons inférieurs n'étaient jamais mis, pantalon trop court recouvrant à peine des souliers trop larges, une calotte à glands posée en arrière sur une chevelure grisonnante, une figure aux mille plis que ne terminait pas la barbiche habituelle aux Américains du Nord.

Tel était M. Dean Forsyth dont parlaient Francis Gordon, son neveu, et Mitz, sa vieille servante, dans la matinée du 3 novembre.[1]

Francis Gordon, privé de ses parents dès son bas âge, fut élevé par M. Dean Forsyth, frère de sa mère. Bien qu'une certaine fortune dût lui revenir de son oncle, il ne se crut pas pour cela dispensé de travailler, et M. Forsyth ne le crut pas davantage. Le neveu fit donc ses études d'humanité dans la célèbre Université de (...)[2]. Il les compléta par celles du droit, et il était maintenant avocat à Whaston, où la veuve, l'orphelin, les murs mitoyens, n'avaient pas de défenseur plus résolu. Il connaissait à fond les jugements et arrêts, il parlait avec facilité d'une voix chaude et pénétrante. Tous ses confrères, jeunes et vieux, l'estimaient, et il ne s'était jamais fait un ennemi. Très bien de sa personne, de beaux cheveux châtains, de beaux yeux noirs, des manières élégantes, spirituel sans méchanceté, serviable sans ostentation, point maladroit dans les divers genres de sport auxquels s'adonnait avec passion la gentry américaine, comment n'aurait-il pas pris rang parmi les plus distingués jeunes gens de la ville, et pourquoi n'eût-il pas aimé cette charmante Jenny Hudelson, fille du docteur Hudelson et de sa femme, née Flora Clarish ?...

Mais c'est trop tôt appeler l'attention sur cette jeune personne. Le moment n'est pas venu où elle doit entrer en scène, et il convient de ne la présenter qu'au milieu de sa famille. Cela ne saurait tarder. D'ailleurs, on ne saurait apporter assez de méthode dans le développement de cette histoire, qui exige une extrême précision.

---

1. Pour le « 3 avril ». Le premier choix de la période hivernale subsiste dans ce chapitre.
2. En blanc dans le manuscrit. Harvard, sans doute.

En ce qui concerne Francis Gordon, nous ajouterons qu'il demeurait dans la maison d'Elisabeth-street, et ne la quitterait sans doute que le jour de son mariage avec miss Jenny... Mais, encore une fois, laissons miss Jenny Hudelson où elle est, et disons seulement que la bonne Mitz était la confidente du neveu de son maître et qu'elle le chérissait comme un fils, ou, mieux encore, un petit-fils, les grands-mères tenant généralement le record de la tendresse maternelle.

Mitz, servante modèle, maintenant introuvable, descendait de cette espèce perdue qui tient à la fois du chien et du chat – du chien puisqu'elle s'attache à ses maîtres, du chat puisqu'elle s'attache à la maison. Comme on l'imagine aisément, Mme Mitz avait son franc-parler avec M. Dean Forsyth, et quand il avait tort, elle le lui disait. S'il ne voulait pas en convenir, il n'avait qu'une chose à faire : quitter la place, regagner son cabinet et s'y enfermer à double verrou.

Du reste, M. Dean Forsyth n'avait pas à craindre d'y être jamais seul. Il pouvait compter sur un autre personnage de quelque importance qui se soustrayait également aux remontrances et admonestations de la bonne Mitz.

C'était Omicron qui, sans doute, aurait été surnommé Oméga, s'il n'eût été de très petite taille. Il n'avait pas grandi depuis l'âge de quinze ans, et à cet âge-là, il ne mesurait pas plus de quatre pieds six pouces. De son vrai nom, Tom Wif, – il était entré dans la maison de M. Dean Forsyth, précisément à l'époque où s'arrêta sa croissance, en qualité de jeune domestique, et comme il avait dépassé la cinquantaine, on en conclura que, depuis trente-cinq ans, il était au service de l'oncle de Francis Gordon.

Mais il faut savoir à quoi se réduisait ce service depuis bien des années déjà : à aider M. Dean Forsyth dans les travaux pour lesquels il éprouvait une passion au moins égale à celle de son maître.

M. Dean Forsyth travaillait donc ?...

Oui... en amateur, et avec quelle ambition, doublée de quelle fougue, on en jugera.

Et de quoi s'occupait-il ?... de médecine, de droit, de science, de littérature, d'arts, d'affaires, comme tant de citoyens de la libre Amérique ?...

Pas le moins du monde, ou plutôt de science, et encore d'une certaine science, de l'astronomie, non de celle qui aborde les hauts calculs relatifs aux corps célestes. Non, il ne cherchait qu'à faire des découvertes planétaires ou stellaires. Rien ou presque rien de ce qui se passait à la surface de notre globe ne paraissait l'intéresser, et il vivait dans les espaces infinis. Mais comme il n'y aurait trouvé ni à déjeuner ni à dîner, il fallait bien qu'il en redescendît deux fois par jour tout au moins. Et, précisément, ce matin-là, il se faisait attendre, ce dont maugréait la bonne Mitz en tournant autour de la table.

« Il ne viendra donc pas ?... répétait-elle.

— Omicron n'est pas là ?... demanda Francis Gordon.

— Il n'est jamais là qu'où est son maître !... répliqua la servante. Je n'ai pourtant plus assez de jambes – c'est ainsi qu'elle s'exprima – pour grimper jusqu'à son perchoir. »

Le perchoir en question n'était ni plus ni moins qu'une tour dont la galerie supérieure se dressait à une vingtaine de pieds au-dessus du toit de la maison, un observatoire pour lui donner son véritable nom. Au-dessous de la galerie se trouvait une chambre circulaire, percée de quatre fenêtres orientées vers les quatre points cardinaux. À l'intérieur pivotaient sur leur pied quelques instruments, lunettes et télescopes d'une portée assez considérable, et si leurs objectifs ne s'usaient point, ce n'était pas faute d'être utilisés. Ce qu'il y aurait eu plutôt à craindre, c'eût été que M. Dean Forsyth et Omicron finissent par s'abîmer les yeux à force de les appliquer aux oculaires de leurs instruments.

C'est dans cette chambre que tous deux passaient la plus grande partie du jour et de la nuit, se relayant, il est vrai, entre le coucher et le lever du soleil. Ils regardaient, ils observaient, ils plongeaient à travers les zones interstellaires. L'espoir ne les quittait pas de faire quelque découverte à laquelle s'attacherait le nom de Dean Forsyth. Lorsque le ciel était pur, cela allait encore ; mais il s'en faut qu'il le soit toujours sur le trente-septième parallèle qui traverse l'État de Virginie. Des nuages, des cyrrhus (sic), des nimbus, des cumulus, tant qu'on en veut, et assurément plus que n'en voulaient le maître et le serviteur. Mais que de jérémiades échangées de l'un à l'autre, que de menaces contre ce firmament sur lequel la brise traînait méchamment ses haillons de vapeurs !

Et, pendant ces heures fâcheuses, interminables, alors que nulle observation ne pouvait être faite, l'astronome amateur de répéter en fourrageant sa chevelure désordonnée :

« Qui sait si, en ce moment, quelque nouvel astre ne passe pas dans le champ de mon objectif ?... qui sait si je ne perds pas là l'occasion de saisir au vol un second satellite de la terre... ou un sous-satellite qui circulerait autour de la lune ?... Qui sait si un météore quelconque, un bolide, un astéroïde, ne se promène pas au-dessus de la couche de ces maudits nuages ?...

— C'est bien possible, répondait Omicron. Et, précisément, mon maître, ce matin, pendant une éclaircie... j'ai cru apercevoir...

— Moi aussi, Omicron...

— Tous deux... mon maître... tous deux...

— Moi... le premier certainement ! déclara M. Dean Forsyth...

— Sans doute, accepta Omicron, avec un hochement de tête significatif ; et il m'a bien semblé que c'était... que ce devait être...

— Je le jurerais, affirma Dean Forsyth, un météore qui se déplaçait du nord-est au sud-ouest...

— Oui, mon maître, presque dans le sens du Soleil...

— Sens apparent, Omicron...

— Apparent, cela va sans dire.

— Et c'était à sept heures trente-sept minutes et vingt secondes...

— Et vingt secondes, répéta Omicron, ainsi que je l'ai aussitôt constaté à notre horloge...

— Et il n'a pas reparu depuis ! s'écria M. Dean Forsyth, en tendant vers le ciel une main menaçante.

— Non... mon maître... des nuages... des nuages... des nuages qui se sont levés dans l'ouest-sud-ouest, et je ne sais pas si nous reverrons un coin de bleu de toute la journée !...

— C'est un fait exprès... répliqua Dean Forsyth, et je crois vraiment que cela n'arrive qu'à moi !...

— Et à moi !», murmura Omicron, qui se regardait comme de moitié dans les travaux de son maître.

Au vrai, tous les habitants de Whaston avaient le même droit de se plaindre si d'épais nuages attristaient leur ville. Que le soleil luise... ou ne luise pas, c'est pour tout le monde.

Et ce qu'était la mauvaise humeur de Dean Forsyth, lorsque le brouillard enveloppait la cité – un de ces brouillards qui durent quarante-huit heures – il n'est que trop facile de se l'imaginer. Au moins, même par un ciel nuageux, il n'était pas impossible d'apercevoir quelque astéroïde, s'il rasait la surface du globe terrestre ; mais, à travers l'épaisseur des brumes, que peuvent les télescopes les plus puissants, les lunettes les plus perfectionnées, lorsque des créatures humaines ne se voient point à dix pas ?... Et cela n'est pas rare à Whaston, bien que la ville soit baignée des eaux claires du Potomac et non des eaux bourbeuses de la Tamise...

Et maintenant, au début de la matinée, ce jour-là, alors que le ciel était pur, qu'avaient donc aperçu... ou cru apercevoir le maître et le serviteur ?... C'était un bolide, de forme allongée, doué d'une vitesse excessive dont ils n'avaient pu mesurer l'intensité. Ainsi que nous l'avons dit, ce bolide se déplaçait du nord-est au sud-ouest ; mais comme la distance entre la terre et lui devait mesurer un certain nombre de lieues, il eût été possible de le suivre pendant quelques heures à travers le champ des lunettes, si cet intempestif brouillard ne fut venu empêcher toute observation !

Et alors se dévidait le fil des regrets que provoquait naturellement cette mauvaise chance !... Reviendrait-il, ce bolide, sur l'horizon de Whaston ?... Pourrait-on en calculer les éléments, déterminer sa masse, son poids, sa nature ?... Ne serait-ce pas quelque autre astronome, plus favorisé, qui le retrouverait en un autre point du ciel ?... Dean Forsyth, l'ayant si peu tenu au bout de son télescope, serait-il qualifié pour signer de son nom cette découverte ?... Tout l'honneur n'en reviendrait-il pas plus tard à un de ces savants de l'Ancien ou du Nouveau Continent, qui passent leur existence à épier des météores entre le zénith et l'horizon de leurs observatoires ?...

Et tous deux revinrent se poster devant celle des fenêtres qui s'ouvrait vers l'orient. Ils ne parlaient plus. Dean Forsyth parcourait du regard le vaste horizon que limitait de ce côté le profil capricieux des collines de Serbor, au-dessus desquelles la brise, en fraîchissant, chassait les nues grisâtres, trouées çà et là de rares éclaircies. Omicron se hissait sur la pointe des pieds pour accroître le rayon de vue que réduisait sa petite taille. L'un avait croisé les bras, et ses mains fermées s'écrasaient sur sa poitrine. L'autre, de ses doigts crispés, battait l'appui de la fenêtre. Quelques oiseaux filaient à tire d'ailes, en jetant de petits cris aigus, et ils avaient bien l'air de se moquer du maître et du serviteur que leur qualité d'êtres humains retenait à la surface de la terre !... Ah ! s'ils avaient pu les suivre dans leur vol, en quelques bonds, ils auraient traversé la couche des vapeurs, et peut-être eussent-ils réaperçu l'astéroïde continuant sa course au milieu de l'étincellement des rayons solaires ?...

En cet instant, on frappa à la porte.

Dean Forsyth et Omicron, absorbés dans leurs idées, n'entendirent pas.

La porte s'ouvrit alors, et Francis Gordon parut sur le seuil.

Dean Forsyth et Omicron ne se retournèrent même pas.

Le neveu alla vers l'oncle, et lui toucha légèrement le bras.

Dean Forsyth sembla revenir du bout du monde... et non du monde terrestre mais du monde céleste où son imagination l'avait entraîné à la suite du météore...

« Qu'est-ce ?... demanda-t-il.

— Mon oncle... le déjeuner attend...

— Ah ! fit Dean Forsyth, il attend ?... Eh bien... nous aussi, nous attendons...

— Vous attendez... quoi ?...

— Que le Soleil reparaisse, déclara Omicron, dont la réponse fut approuvée de son maître.

— Mais, mon oncle, vous n'avez pas, je pense, invité le Soleil à déjeuner, et on peut se mettre à table sans lui... »

Que répliquer à cela?... Est-ce que si l'astre radieux ne se montrait pas de toute la journée, M. Dean Forsyth s'entêterait à ne déjeuner qu'à l'heure où dînent les honnêtes gens, d'habitude?...

«Mon oncle, repris Francis Gordon, Mitz s'impatiente, je vous préviens...»

Cela parut être une raison dominante, qui ramena M. Dean Forsyth du rêve dans la réalité. Les impatiences de la bonne Mitz, il les connaissait, il les redoutait même, et puisqu'elle lui avait dépêché un exprès, il fallait se rendre sans plus tarder.

«Quelle heure est-il donc? demanda Dean Forsyth.

— Onze heure quarante-six», répondit Francis Gordon.

En effet, la pendule marquait onze heures quarante-six, et, d'ordinaire, c'était à onze heures précises que l'oncle et le neveu s'asseyaient en face l'un de l'autre.

Habituellement aussi, Omicron les servait. Mais, ce jour-là, sur un signe de son maître qu'il comprit sans peine, il resta dans l'observatoire, et s'il se faisait un retour du Soleil...

M. Dean Forsyth et Francis Gordon prirent donc l'escalier et descendirent au rez-de-chaussée de la maison.

Mitz était là, regarda son maître en face, et celui-ci baissa la tête.

«Omicron?... demanda-t-elle.

— Il est occupé là-haut, répondit Francis Gordon, et nous nous passerons de lui ce matin...

— Soit!», répondit Mitz.

Le déjeuner commença, et les bouches ne s'ouvrirent que pour manger, non pour parler. Mitz, qui causait volontiers en apportant les plats et en changeant les assiettes, ne desserrait pas les dents. Ce silence pesait, cette contrainte gênait. Aussi Francis Gordon, désireux d'y mettre terme, de dire :

«Mon oncle, est-ce que vous êtes content de votre matinée?...

— Oui... non... répliqua M. Dean Forsyth. L'état du ciel n'était pas propice...

— Êtes-vous donc sur la piste de quelque découverte astronomique?...

— Je le crois... Francis... Mais tant que je ne serai pas assuré par une nouvelle observation...

— Et c'est cela, monsieur, demanda Mitz, d'un ton quelque peu sec, qui vous tracasse depuis huit jours... au point que vous ne quittez plus votre tour et que vous vous relevez la nuit... oui !... trois fois depuis hier soir... je vous ai entendu...

— En effet, ma bonne Mitz...

— Et quand vous vous serez fatigué outre mesure... reprit la digne servante, quand vous aurez miné votre santé, quand vous aurez attrapé un bon rhume, quand vous serez cloué au lit pour plusieurs semaines, est-ce vos étoiles qui viendront vous soigner, et le docteur vous ordonnera-t-il de les prendre en pilules ?... »

Étant donnée la tournure que prenait le dialogue, Dean Forsyth comprit que mieux valait ne point répondre. Décidé, d'ailleurs, à ne point tenir compte des remontrances de Mitz, il ne voulut pas l'exciter en la contredisant, et continua de manger silencieusement, sans même prêter attention à son verre et à son assiette.

Francis Gordon essayait de soutenir la conversation ; mais, au vrai, c'était comme s'il se fut parlé à lui-même. Son oncle, toujours sombre, ne paraissait pas l'entendre. Lorsqu'on ne sait trop que dire, on cause du temps qu'il a fait ou qu'il fait ou qu'il fera, matière inépuisable et à la portée de toutes les bouches. Et en somme, cette question atmosphérique était celle qui devait plus particulièrement intéresser M. Dean Forsyth. Aussi, à un certain moment, où le soleil plus voilé rendait la salle à manger plus obscure, il releva la tête, regarda la fenêtre, et laissant d'une main accablée retomber sa fourchette, il s'écria :

« Est-ce que ces maudits nuages ne vont pas dégager le ciel ?... Est-ce que la pluie va tomber à torrent ?...

— Ma foi, déclara Mitz, après trois semaines de sécheresse, ce serait heureux pour les biens de la terre...

— La terre... la terre ! », murmura M. Dean Forsyth avec un si parfait dédain qu'il s'attira cette réponse de la vieille servante.

«Oui... la terre, Monsieur, et elle vaut bien le ciel dont vous ne voulez jamais descendre... même à l'heure du déjeuner...

— Voyons, ma bonne Mitz... dit Francis Gordon pour la calmer.

— Mais, continua-t-elle sur le même ton, s'il ne commence pas à pleuvoir à la fin d'octobre, quand pleuvra-t-il, je vous le demande?...

— Mon oncle, reprit alors le neveu, il n'est que trop vrai, nous sommes à la fin d'octobre[3]... au début de l'hiver, et il faut bien en prendre son parti!... D'ailleurs, l'hiver, ce n'est pas nécessairement le mauvais temps!... Il y a, par les grands froids, des journées très sèches avec un ciel plus pur que pendant les chaudes heures de l'été... Eh bien, vous reprendrez vos travaux dans des conditions meilleures!... un peu de patience, mon oncle...

— De la patience, Francis! répliqua M. Dean Forsyth dont le front n'était pas moins rembruni que l'atmosphère, de la patience!... Et, s'il s'en va si loin qu'on ne puisse l'apercevoir?... Et s'il ne se montre plus au-dessus de l'horizon?...

— Il?... s'écria Mitz. Qui... il?...»

À cet instant, la voix d'Omicron se fit entendre :

«Mon maître... mon maître...

— Il y a du nouveau», s'exclama M. Dean Forsyth en repoussant précipitamment sa chaise pour se diriger vers la porte.

Et, précisément, un vif rayon pénétra par la fenêtre, piquant de paillettes lumineuses les verres, les bouteilles et les flacons de la table.

«C'est le soleil... le soleil!», répétait M. Dean Forsyth, qui montait l'escalier à toute hâte.

«Le voilà envolé!... dit Mitz en s'asseyant sur une des chaises. Est-il permis!... Et ce n'est pas l'hiver, ce n'est pas le froid qui l'empêchera de passer des jours et des nuits en plein air!... au risque de rhumes... de bronchites... de congestion!...

---

3. Le chapitre aurait dû être revu en fonction des nouvelles dates, ce que fait Michel Verne. Nous laissons en l'état.

Et tout cela pour des étoiles filantes!... Et encore si on pouvait les prendre et en faire collection!...»

Ainsi s'exprimait la bonne Mitz, bien que son maître ne pût l'entendre, et il l'aurait entendue que c'eût été tout comme.

M. Dean Forsyth, essoufflé par l'ascension, venait d'entrer dans son observatoire. Le vent du sud-ouest avait fraîchi et chassé les nuages vers le levant. Une large éclaircie laissait voir le bleu jusqu'au zénith. Toute la partie du ciel où le météore avait été observé, largement découverte, permettrait aux instruments de s'y promener sans se perdre dans les vapeurs. La chambre s'emplissait de rayons solaires.

«Eh bien?... demanda M. Dean Forsyth, qu'y a-t-il?...

— Il y a le soleil, répondit Omicron, mais pas pour longtemps, car des nuages reparaissent déjà dans l'ouest.

— Pas une minute à perdre», s'écria M. Dean Forsyth, en braquant la lunette, tandis que son serviteur en faisait autant du télescope.

Et, pendant quarante minutes environ, avec quelle passion ils manièrent leurs instruments! Avec quelle patience, ils en manœuvrèrent la vis pour les maintenir au point! Avec quelle minutieuse attention ils fouillèrent tous les coins et recoins de cette partie de la sphère céleste! C'était bien par tant d'ascension droite et tant de déclinaison que le bolide leur avait apparu pour la dernière fois... Ils étaient sûrs de ses coordonnées...

Et rien... rien à cette place! Déserte, toute cette éclaircie qui offrait aux météores un si magnifique champ de promenade!... Pas un seul point visible en cette direction!... Aucune trace de l'astéroïde ni de son passage!...

«Rien!... fit M. Dean Forsyth, en essuyant ses yeux rougis par le sang qui s'était porté à leurs paupières.

— Rien!...», fit Omicron comme un écho plaintif.

Et alors, les vapeurs revinrent, le ciel s'obscurcit de nouveau.

Finie, l'éclaircie du ciel, et pour toute la journée cette fois! Les vapeurs ne formèrent bientôt plus qu'une masse uniforme, d'un gris sale, et s'égouttèrent en pluie fine. Il fallait renoncer à toute observation, au grand désespoir du maître et du serviteur!...

35

Et alors, Omicron, de dire :

«Mais, Monsieur... sommes-nous bien sûrs de l'avoir vu?...

— Si nous en sommes sûrs?...», s'écria M. Dean Forsyth, en levant les bras au ciel.

Et, d'un ton où se mêlaient l'inquiétude et la jalousie, il ajouta :

«Il ne manquerait plus qu'il l'eût aperçu, lui... aussi, Sydney Hudelson!»

III

Où il est question du docteur Sydney Hudelson, de sa femme, mistress Flora Hudelson, de miss Jenny et de miss Loo, leurs deux filles.

« Pourvu qu'il ne l'ait pas aperçu, lui aussi, Dean Forsyth ! » Voici ce que venait de se dire aussi le docteur Sydney Hudelson.

Car il était docteur, et s'il n'exerçait pas la médecine à Whaston, c'est qu'il préférait consacrer tout son temps et toute son intelligence à ces hautes, à ces sublimes occupations de l'astronomie.

Du reste, le docteur Hudelson possédait une jolie fortune, tant de son chef que du chef de mistress Hudelson, née Flora Clarish. Sagement administrée, elle lui assurait l'avenir, et aussi celui de ses deux filles, Jenny et Loo Hudelson.

Ce docteur astronome était âgé de quarante-sept ans, sa femme de quarante ans, sa fille aînée de dix-huit ans, sa fille cadette de quatorze ans.

Assurément, bien que les familles Forsyth et Hudelson fussent très unies, il n'en existait pas moins une certaine rivalité entre Sydney Hudelson et Dean Forsyth. On ne dira pas qu'ils se disputaient telle ou telle planète, telle ou telle étoile, puisque les astres du ciel appartiennent à tous, même à ceux qui ne les ont pas découverts ; mais il leur arrivait fréquemment de se disputer à propos de telle ou telle observation météorologique.

Ce qui eût pu envenimer les choses, et provoquer parfois de regrettables scènes, c'eût été l'existence d'une dame Dean Forsyth. Or, on le sait, ladite dame n'existait pas, puisque celui qui l'aurait épousée, était resté célibataire, et n'avait jamais eu, même en rêve, la pensée de se marier. Donc aucune épouse pour prendre le parti de l'époux et, par conséquent, toute chance qu'une brouille entre les deux astronomes-amateurs pût s'apaiser à bref délai.

Sans doute, dans la seconde famille, il y avait bien Mrs Flora Hudelson. Mais c'était une excellente femme, excellente mère, excellente ménagère, de nature très conciliatrice, incapable de tenir un propos malséant sur personne, ne déjeunant pas d'une médisance, ne dînant pas d'une calomnie, à l'exemple de tant de dames, même des plus considérées dans les diverses sociétés de l'Ancien et du Nouveau Monde. Ce modèle des conjointes s'appliquait surtout à calmer son mari, lorsqu'il rentrait, la tête en feu, à la suite de quelque discussion avec son intime ami Forsyth.

Il faut dire que Mrs Hudelson trouvait tout naturel que M. Hudelson s'occupât d'astronomie, qu'il vécût dans les profondeurs du firmament, à la condition qu'il en descendît, lorsqu'elle le priait d'en descendre. D'ailleurs, contrairement à la bonne Mitz qui harcelait son maître, elle ne harcelait point son mari ; elle tolérait qu'il se fît attendre à l'heure des repas ou des visites ; elle ne maugréait point et s'ingéniait pour tenir quand même les plats à un bon degré de cuisson ; elle respectait son absorption, lorsqu'il était absorbé ; elle s'inquiétait aussi de ses travaux, et savait lui servir d'encourageantes paroles, s'il semblait inquiet de quelque découverte et s'égarait dans les espaces infinis au point de ne plus retrouver sa route.

Voilà une femme comme nous en souhaitons à tous les maris, surtout quand ils sont astronomes.

La fille aînée, cette charmante Jenny, promettait de suivre les traces de sa mère, de marcher du même pas sur les chemins de l'existence. Évidemment, Francis Gordon était destiné à devenir le plus heureux des hommes, s'il épousait Jenny Hudelson. Sans vouloir humilier les misses américaines, il est permis de dire que dans toute l'Amérique, il ne se rencontrait pas une jeune fille plus charmante, plus attrayante, plus douée de l'ensemble des perfections humaines. Une aimable blonde aux yeux bleus, à la carnation fraîche, de jolies mains, de jolis pieds, une jolie taille, autant de grâce que de modestie, autant de bonté que d'intelligence. Aussi, Francis Gordon l'appréciait-il non moins qu'elle appréciait Francis Gordon. Le neveu de M. Dean Forsyth possédait d'ailleurs toute l'amitié, toute la sympathie de la famille Hudelson. Cela n'avait point tardé à se traduire sous la forme d'une demande en mariage, qui fut acceptée de part et d'autre. Ces deux jeunes futurs se convenaient si bien ! Ce serait l'aisance dans le ménage que Jenny apporterait avec ses qualités familiales. Quant à Francis Gordon, il serait doté par son oncle, dont la fortune lui reviendrait un jour. Mais laissons de côté ces perspectives d'héritages. Il ne s'agissait pas de l'avenir qui était assuré, mais du présent dans lequel se réuniraient toutes les conditions de bonheur.

Donc, Francis Gordon était fiancé à Jenny Hudelson, Jenny Hudelson était fiancée à Francis Gordon, et le mariage, à une date prochainement fixée, serait célébré par les soins du révérend O'Garth à Saint-Andrew, la principale église de cette heureuse ville de Whaston.

Et vous pouvez être sûrs qu'il y aurait grande affluence à cette cérémonie nuptiale, car les deux familles jouissaient d'une estime qui n'avait d'égale que leur honorabilité. Et non moins sûrs, en outre, que la plus gaie, la plus vive, la plus envolée, ce jour-là, serait cette mignonne Loo[1], qui servirait de demoiselle d'honneur à sa sœur bien-aimée. Elle n'a pas quinze ans encore, cette fillette, et elle a bien le droit d'être aussi jeune que possible. Tout le monde la choie, tout le monde l'aime. C'est le mouvement perpétuel, et les savants ne le trouveront jamais que dans ces natures-là. Un peu espiègle, avec des reparties

---

1. Diminutif de Louise (note de l'auteur).

inattendues, elle ne se gênait point de plaisanter les «planètes à papa»! Mais on lui pardonnait tout, on lui passait tout, et le docteur Hudelson était le premier à rire, et, pour unique punition, à mettre un baiser sur ses fraîches joues de fillette.

Au fond, M. Hudelson était un brave homme, mais d'un entêtement égal à sa susceptibilité. Sauf Loo, dont il admettait les plaisanteries sans importance, chacun respectait ses manies et ses habitudes. Très acharné à ses études météorologiques, très buté dans ses démonstrations, très jaloux des découvertes qu'il faisait ou prétendait faire, il sentait dans son ami Dean Forsyth un rival avec lequel s'engageaient parfois d'interminables discussions à propos de tel ou tel météore. Deux chasseurs sur le même terrain de chasse, et qui se disputent les coups de fusil! Maintes fois, il en résultat des refroidissements qui auraient pu dégénérer en brouilles, n'eût été là cette bonne Mrs Hudelson pour dissiper ces orages. Et elle y était bien aidée par ses deux filles et par Francis Gordon. Du reste, lorsque le mariage de Francis et de Jenny aurait relié plus étroitement les familles, ces orages passagers seraient moins redoutables, et, qui sait, peut-être les deux amateurs, unis dans une sérieuse collaboration, poursuivraient-ils de conserve leurs recherches astronomiques! Ils se partageraient équitablement le gibier découvert, sinon abattu, sur ces vastes champs de l'espace.

Il convient de le noter, en même temps qu'il faisait de la météorologie, M. Stanley Hudelson s'occupait de statistique – une statistique toute spéciale à la criminalité, dont les courbes, suivant des savants très autorisés, obéissent aux variations thermométriques ou barométriques. Ces concordances, le docteur Hudelson mettait tous ses soins à les relever. Ce graphique du crime, il ne négligeait rien de ce qui permettait de le tenir en état. Il était en correspondance suivie avec M. Linnoy, le directeur du service météorologique de l'Illinois, auquel il fournissait ses observations personnelles. Il n'aurait pas fallu le contredire, lorsque, d'accord avec ce savant de Chicago, il soutenait que «la progression criminelle marche de pair avec l'élévation de la température, sinon par jour, au moins pour les mois, les saisons et les années ». À les en croire, les crimes présentent une légère recrudescence par les temps clairs et une légère diminution par les temps brumeux. L'abaissement de la chaleur, surtout durant les mois d'hiver, et les pluies excessives en été, paraissent correspondre à une décroissance des attentats contre les propriétés et les personnes. Enfin leur nombre baisse quand le vent tourne au nord-est. En outre, il paraîtrait que les trois courbes météorologiques de la folie, du suicide et du crime se superposent assez exactement, dans les mêmes conditions de saison et de température.

Oui ! le docteur Hudelson était attaché tout entier à ces curieuses théories. En ce qui concernait la criminalité et les chances d'en être victimes, il conseillait de prendre plus de précautions pendant les « mois criminels ». Aussi cette rieuse de Loo poussait-elle soigneusement le verrou de sa chambrette par les grandes chaleurs, les grandes sécheresses, et lorsque le vent ne soufflait pas du bon côté.

La maison du docteur Hudelson était des plus confortables – une mieux tenue, on l'aurait vraiment cherchée dans tout Whaston. Ce joli hôtel, au numéro 27 de Moriss-street, marquait le milieu de la rue, entre cour et jardin avec de beaux arbres et des pelouses verdoyantes. Il se composait d'un rez-de-chaussée et d'un premier étage sur sept fenêtres de façade. La haute toiture était dominée à gauche par une sorte de donjon carré, haut d'une trentaine de picds, terminé par une terrasse à balustres. À l'un des angles se dressait le mât auquel les dimanches et jours fériés se hissait le pavillon aux cinquante et une étoiles des États-Unis d'Amérique.

La chambre supérieure de ce donjon avait été appropriée pour des travaux d'observatoire. C'est là que fonctionnaient les instruments du docteur, lunettes et télescopes, à moins que pendant les belles nuits, il ne les transportât sur la terrasse d'où ses regards pouvaient librement parcourir le dôme céleste. C'était là, d'ailleurs, qu'il attrapait ses rhumes les plus corsés, en dépit des recommandations de Mrs Hudelson.

« Papa finira même par enrhumer ses planètes ! répétait volontiers miss Loo. Cela se gagne, les coryzas. »

Mais le docteur n'écoutait rien et bravait parfois des sept ou huit degrés centigrades au-dessous de zéro pendant les grandes gelées d'hiver, alors que le firmament apparaissait dans toute sa pureté.

Il est à noter que, de l'observatoire de la maison de Morris-street, on distinguait sans peine la tour de la maison d'Elizabeth-street[2]. Aucun monument ne s'élevait entre l'une et l'autre, aucun arbre n'interposait ses épaisses ramures. Un demi-mille séparait les deux quartiers qu'elles occupaient. Avec une bonne jumelle, sans recourir au télescope à longue portée, on reconnaissait très aisément les personnes qui se tenaient sur la tour ou sur le donjon. Assurément, Dean Forsyth avait autre chose à faire que de regarder Stanley Hudelson, et Stanley Hudelson n'eût pas voulu perdre son temps à regarder Dean Forsyth. Leurs observations visaient plus haut, et ne s'adressaient point aux objets terrestres. Mais il était assez naturel que Francis Gordon cherchât à voir si Jenny Hudelson ne se trouvait pas sur la terrasse et souvent leurs yeux se parlaient à travers les lorgnettes. Il n'y avait pas de mal à cela, je pense.

Certes, il eût été facile d'établir une communication télégraphique ou téléphonique entre les deux maisons. Un fil tendu du donjon à la tour eût servi aux conversations les plus agréables ; du moins de Francis Gordon à Jenny et de Jenny à Francis Gordon. Et qu'on n'en doute pas, cette petite Loo eût souvent fait sa partie dans ce duo changé en trio. Mais Dean Forsyth et le docteur Hudelson ne tenaient point à échanger des communications, ni à être dérangés pendant leurs observations astronomiques. Aussi l'installation d'un fil était-elle restée à l'état de projet. Peut-être, lorsque les deux fiancés seraient époux définitifs, ce desideratum se réaliserait-il ?... Après le lien matrimonial, le lien électrique pour unir plus étroitement encore les deux familles.

Ce jour-là, dans l'après-midi, Francis Gordon vint faire sa visite habituelle à Mrs Hudelson et à ses filles. Il fut reçu dans

_____

2. À partir d'ici, les maisons des astronomes seront situées *Elizabeth-street* et *Morris-street*. Au Groenland, existe un cap Morris.

le salon du rez-de-chaussée, et, il est permis de le dire, comme s'il eut été le fils de la maison. S'il n'était pas encore le mari de Jenny, Loo voulait qu'il fût déjà son frère, à elle, et ce qui se logeait dans la cervelle de cette fillette, y était bien logé.

On ne s'étonnera pas que le docteur Hudelson se fût claquemuré dans le donjon. Il s'y était (enfermé)[3] dès quatre heures du matin. Après avoir paru en retard pour son déjeuner, tout comme Dean Forsyth, on l'avait vu regagner précipitamment la terrasse au moment où le soleil se dégageait des nuages de la méridienne – toujours comme M. Dean Forsyth. Non moins préoccupé que lui, il ne semblait pas qu'il fût disposé à en redescendre.

Et, cependant, impossible de décider sans lui la grande question qui allait être soumise à l'assentiment général.

«Eh! s'écria Loo, dès que le jeune homme eut franchi la porte du salon, voilà monsieur Francis... l'éternel monsieur Francis... et je me demande ce que vient faire monsieur Francis!... On ne voit que lui ici!»

Francis Gordon avait d'abord pressé la main que lui tendait Jenny, toute souriante, et présenté ses compliments à Mrs Hudelson. Puis, pour toute réponse à Loo, il fit éclore le rouge de ses joues sous un bon baiser.

Puis, on s'assit, et la conversation s'établit, qui n'était vraiment qu'une suite à celle de la veille. Il semblait qu'on ne se fût pas quitté depuis hier, et, de fait, en pensée tout au moins, les deux fiancés ne se séparaient jamais l'un de l'autre. Miss Loo prétendait même que «l'éternel Francis» était toujours dans la maison, qu'il feignait de sortir par la porte de la rue et rentrait par la porte du jardin, et se cachait dans les coins pour ne point être vu...

On causa, ce jour-là, de ce dont on causait tous les jours en attendant la date choisie pour la célébration du mariage. Jenny écoutait ce que disait Francis avec la gravité naturelle qui ne lui enlevait rien de son charme. Ils se regardaient, ils formaient des projets d'avenir, dans la pensée que leur réalisation ne pouvait

---

3. « transporté », rayé, n'est pas remplacé.

plus être éloignée. Qui aurait pu prévoir même un retard ?... Cette union n'avait-elle pas l'agrément des deux familles ?... Déjà Francis Gordon avait trouvé une jolie maison de Lambeth-street, qui présentait toutes les convenances, un frais jardin, verdoyant encore. C'était dans le quartier de l'ouest, avec vue sur le cours du Potomac, et pas très loin de la rue Morris. Mrs Hudelson promit d'aller visiter cette maison dès le lendemain et, pour peu qu'elle plût à sa future locataire, elle serait louée sous huitaine. Loo accompagnerait sa mère et sa sœur à cette visite. Elle n'admettait pas que l'on se fût passé de son avis, et, comme elle s'y entendait, voulait s'occuper de l'installation du jeune ménage... Et on la laissait aller et on la laissait dire.

Soudain, se relevant de sa chaise et courant vers la fenêtre, Loo de s'écrier :

«Eh bien... et M. Forsyth ?... Est-ce qu'il ne doit pas venir aujourd'hui ?...

— Mon oncle arrivera vers quatre heures, répondit Francis Gordon.

— C'est que sa présence est indispensable pour résoudre la question, fit observer Mrs Hudelson.

— Il le sait, et ne manquera point au rendez-vous...

— Et s'il y manquait, déclara Loo, qui tendit une petite main menaçante, il aurait affaire à moi, et n'en serait pas quitte à bon marché...

— Et M. Hudelson ?... demanda Francis. Nous n'avons pas moins besoin de lui que de mon oncle.

— Père est dans son donjon, dit Jenny, et descendra aussitôt qu'il sera prévenu...

— Je m'en charge, répondit Loo, et j'aurai vite grimpé ses trois étages.»

En effet, il importait que M. Forsyth et M. Hudelson fussent là. Ne s'agissait-il pas de fixer la date de la cérémonie ? Le mariage serait célébré dans le plus court délai, à la condition, cependant, que la demoiselle d'honneur eût le temps de se faire confectionner sa jolie robe – une robe longue de demoiselle et non plus de fillette, qu'elle comptait bien étrenner ce jour-là.

Et, à cette observation que Francis lui fit en plaisantant :

«Mais si elle n'était pas prête, la fameuse robe?...

— On remettrait la noce!» déclara l'impérieuse personne.

Et cette réponse fut suivie d'un tel éclat de rire que M. Hudelson dut certainement l'entendre des hauteurs de son donjon.

Ainsi allait la conversation, et l'aiguille de la pendule passait d'une minute à l'autre, et M. Dean Forsyth ne paraissait pas. Loo avait beau se pencher hors de la fenêtre d'où elle apercevait la porte d'entrée, pas de M. Forsyth!... Et même lorsque Mrs Hudelson, Jenny, sa sœur et Francis eurent traversé la cour jusqu'à la rue, on ne vit point la silhouette de l'oncle se découper à l'angle de Morris-street.

Il fallut donc rentrer dans le salon et s'armer de patience — une arme dont Loo ne connaissait guère le maniement.

«Mon oncle m'a pourtant bien promis... répétait Francis Gordon, mais depuis quelques jours, je ne sais trop ce qu'il a...

— M. Forsyth n'est point indisposé, j'espère?... demanda Jenny.

— Non... préoccupé... je ne sais trop... on ne peut pas en tirer dix paroles du matin au soir!... Que peut-il avoir dans la tête?...

— Quelque éclat d'étoile!... s'écria la fillette.

— Mais il en est de même de mon mari, dit Mrs Hudelson. Cette semaine, il m'a paru plus soucieux que jamais... Impossible de l'arracher de son observatoire!... Il faut qu'il se passe quelque chose d'extraordinaire là-haut dans la mécanique céleste!...

— Ma foi, répondit Francis, je serais tenté de le croire à la façon dont se comporte mon oncle!... Il ne sort plus, il ne dort plus, il mange à peine... il oublie l'heure des repas...

— Ce que la bonne Mitz doit être mécontente!... observa Loo.

— Elle enrage, déclara Francis, mais cela n'y fait rien!... et mon oncle, qui jusqu'ici redoutait les semonces de sa vieille servante, n'y prête plus attention...

— C'est bien ce que fait notre père, dit Jenny en souriant, et ma sœur paraît avoir perdu toute influence sur lui... et l'on sait si elle était grande!...

— Est-il possible, mademoiselle Loo ? demanda Francis sur le même ton.

— Ce n'est que trop vrai ! répliqua la fillette. Mais... patience... patience !... Il faudra bien que Mitz et moi, nous finissions par avoir raison du père et de l'oncle...

— Enfin... reprit Jenny, que leur est-il donc arrivé à tous les deux ?...

— C'est quelque planète de valeur qu'ils auront égarée !... s'écria Loo, et s'ils ne l'ont pas retrouvée avant la noce...

— Nous plaisantons, dit Mrs Hudelson, et, en attendant, M. Forsyth ne vient pas...

— Et voilà que quatre heures et demie vont sonner !... ajouta Jenny.

— Si mon oncle n'est pas ici dans cinq minutes, déclara Francis Gordon, je cours... »

En cet instant, la sonnette de la porte d'entrée se fit entendre.

« C'est M. Forsyth, affirma Loo. Écoutez... il continue à sonner... Il ne s'aperçoit même pas qu'il sonne, et pense à tout autre chose ! »

Quelle personne observatrice, cette petite Loo !

C'était bien M. Dean Forsyth, et, quand il entra dans le salon, Loo de répéter :

« En retard... en retard !... Vous voulez donc que je vous gronde !

— Bonjour, mistress Hudelson, dit M. Forsyth, en lui serrant la main, bonjour, ma chère Jenny, dit-il en embrassant la jeune fille, bonjour », acheva-t-il, en tapotant les joues de la fillette.

Toutes ces politesses étaient faites d'un air distrait, et, assurément, M. Dean Forsyth avait, comme on dit, « la tête ailleurs ».

« Eh ! mon oncle, reprit Francis Gordon, en ne vous voyant pas arriver à l'heure convenue, j'ai cru que vous aviez oublié notre rendez-vous...

— Oui... un peu... je l'avoue, et je m'en excuse, mistress Hudelson ! Heureusement, Mitz me l'a rappelé et de la bonne manière...

— Elle a bien fait ! déclara Loo.

— Ne m'accablez pas, petite miss !... Des préoccupations graves... J'étais à la veille d'une découverte des plus intéressantes...

— Tiens ! c'est comme mon père, à ce qu'il nous semble !... observa Jenny.

— Quoi ! s'écria M. Dean Forsyth, en se relevant d'un bond à faire croire qu'un ressort venait de se détendre dans le fond de son fauteuil, vous dites que le docteur...

— Nous ne disons rien, mon cher monsieur Forsyth », se hâta de répondre Mrs Hudelson, craignant toujours, et non sans raison, qu'une occasion de rivalité ne vînt à surgir entre son mari et l'oncle de Francis Gordon.

Puis elle ajouta :

« Loo, va chercher ton père. »

Légère comme un oiseau, la fillette s'élança vers le donjon, et elle ne s'envola point par la fenêtre, si elle prit l'escalier, c'est qu'elle ne voulut pas se servir de ses ailes.

Une minute plus tard, M. Stanley Hudelson faisait son entrée dans le salon, physionomie grave, œil fatigué, tête congestionnée à faire craindre qu'il fût sous la menace d'un coup de sang.

M. Dean Forsyth et lui échangèrent la poignée de main habituelle. Mais, à n'en point douter, ils s'envoyèrent un regard oblique, ils s'observèrent à la dérobée, comme s'ils éprouvaient une certaine défiance l'un de l'autre.

Après tout, les deux familles étaient réunies dans le but de fixer la date du mariage, ou pour employer le langage astronomique, d'une conjonction des astres Francis et Jenny. Aussi la conversation ne porta-t-elle que sur ce sujet.

Conversation et non discussion, car tous s'accordaient que la cérémonie dût se faire le plus tôt possible.

Au surplus, M. Dean Forsyth et M. Hudelson prêtèrent-ils grande attention à ce qui se disait ?... N'avaient-ils pas l'esprit à la poursuite de quelque astéroïde perdu à travers l'espace ?... Et l'un ne se demandait-il pas si l'autre était sur le point de le retrouver ?...

Bref, ils ne firent aucune objection à ce que le mariage fût fixé à quelques semaines de là. On était au 3 avril[4], et on prit pour date le 31 mai. Impossible, paraissait-il, de choisir un jour plus convenable.

« À une condition cependant !... fit observer Loo.

— Et laquelle ? demanda Francis.

— C'est que ce jour-là, le vent soufflera du nord-est...

— Et en quoi cela importe-t-il, mademoiselle ?...

— Parce que, comme dit papa, avec ces vents-là, il y a baisse dans la criminalité !...et mieux vaut qu'il en soit ainsi quand on doit recevoir la bénédiction nuptiale ! »

---

4. Les dates sont ici corrigées par l'auteur.

IV

Comment deux lettres envoyées l'une à l'Observatoire de Pittsburg, l'autre à l'Observatoire de Cincinnati, furent classées dans le dossier des bolides.

À M. Le Directeur de l'Observatoire de Pittsburg,
Pennsylvania

Whaston, 9 avril

Monsieur le Directeur,

J'ai l'honneur de porter à votre connaissance le fait suivant, qui est de nature à intéresser la science astronomique : dans la nuit du 2 au 3 avril courant, j'ai découvert un bolide qui traversait la zone septentrionale du ciel, se déplaçant du nord-est au sud-ouest, avec une vitesse considérable. Il était onze heures trente sept minutes vingt deux secondes, lorsqu'il est apparu dans l'objectif de ma lunette, et onze heures trente sept minutes quarante neuf secondes lorsqu'il a disparu. Depuis, il ne m'a pas été donné de le revoir, malgré les plus minutieuses observations. Aussi, je viens vous prier de prendre bonne note de cette information et bon acte de la présente lettre, laquelle, en cas que ledit météore serait visible de nouveau, m'assurerait la priorité de cette précieuse découverte.

Veuillez agréer, monsieur le Directeur, l'assurance de ma très haute considération et me croire votre très humble serviteur.

Dean Forsyth
Elizabeth-street.

À M. Le Directeur de l'Observatoire de Cincinnati,
Ohio

Whaston, 9 avril 1901

Monsieur le Directeur,

Dans la nuit du 2 avril, entre onze heures trente sept minutes vingt deux secondes et onze heures trente sept minutes quarante neuf secondes, j'ai eu l'heureuse chance de découvrir un nouveau bolide qui se déplaçait du nord-est au sud-ouest sur la zone septentrionale du ciel. Depuis je n'ai pu ressaisir la trajectoire de ce météore. Mais, s'il reparaît sur notre horizon, ce dont je ne doute pas, il me semble juste d'être considéré comme l'auteur de cette découverte qui mérite de prendre rang dans les annales astronomiques de notre temps.

Veuillez, monsieur le Directeur, avec mes très humbles salutations, agréer l'assurance de mes respectueux sentiments.

Docteur Sydney Hudelson
17 Morris-street.

V

Trois semaines d'impatience pendant lesquelles, malgré leur acharnement d'observateurs, Dean Forsyth et Omicron, d'une part, le docteur Hudelson, de l'autre, ne parviennent pas à revoir leur bolide.

Aux deux lettres ci-dessus, envoyées avec recommandation, double timbre, triple cachet, à l'adresse des directeurs de l'Observatoire de Pittsburg et de l'Observatoire de Cincinnati, il n'y avait plus qu'une double réponse à attendre. Cette réponse, probablement, ne contiendrait qu'un accusé de réception avec avis du classement desdites lettres. Les intéressés n'en demandaient pas d'avantage. Ils voulaient prendre rang pour le cas où le météore serait signalé par d'autres, astronomes officiels ou astronomes amateurs. Pour son compte, M. Dean Forsyth espérait bien le retrouver dans un court délai, et le docteur Hudelson en gardait aussi le plus sérieux espoir. Que l'astéroïde eût été se perdre dans les profondeurs du ciel, et si loin qu'il avait échappé à l'attraction terrestre, et, par conséquent, qu'il ne dût jamais réapparaître aux yeux du monde sublunaire, non! c'était une hypothèse qu'ils refusaient d'admettre. Le bolide, soumis à des lois formelles, reviendrait sur l'horizon de Whaston; ils le saisiraient au passage, ils le signaleraient de nouveau; on en déterminerait les coordonnées, et il figurerait sur les cartes célestes, baptisé du glorieux nom de leur découvreur.

Mais, au jour de la réapparition, il serait établi qu'ils étaient deux à revendiquer cette conquête, et alors que se passerait-il ?... Si Francis Gordon et Jenny Hudelson avaient pu connaître les dangers de cette situation, ne se fussent-ils pas écriés :

«Mon Dieu, faites que notre mariage soit conclu avant le retour de ce malencontreux bolide !»

Et Mrs Hudelson, Loo, Mitz et aussi leurs amis, se seraient de tout cœur joints à leur prière !

Mais ils ne savaient rien, et s'ils constataient la préoccupation croissante des deux rivaux, ils ne pouvaient en soupçonner la cause. Sans doute, le souci de quelque question astronomique... mais laquelle ?...

En attendant, d'ailleurs, à la maison de Morris-street, sauf le docteur Hudelson, on s'inquiétait peu de ce qui se passait dans les profondeurs du firmament. Des préoccupations, personne n'en avait... des occupations, oui... des faire-part aux connaissances des deux familles, des visites et des compliments à recevoir, des visites et des remerciements à rendre... puis les préparatifs du mariage, les invitations à envoyer pour la cérémonie religieuse, et pour le banquet qui devait réunir une centaine de convives... et leur classement de manière à satisfaire tout le monde... et le choix des cadeaux de noce !...

Bref, la famille Hudelson ne chômait pas, et, à croire cette petite Loo, il n'y avait pas une heure à perdre. Et elle raisonnait ainsi :

«Quand on marie sa première fille, c'est une grosse affaire !... On n'a pas l'habitude, et que de soins il faut pour ne rien oublier !... Lorsque c'est sa seconde fille on a déjà passé par là !... L'habitude est prise, et il n'y a aucun oubli à craindre !... Ainsi, pour moi, cela ira tout seul...

— Oui, lui répondait Francis Gordon, oui... tout seul... et comme vous avez bientôt quinze ans, mademoiselle Loo, cela ne tardera peut-être pas !...

— Occupez-vous d'épouser ma sœur, ripostait la fillette avec de grands éclats de rire. C'est une occupation qui réclame tout votre temps, et ne vous mêlez point de ce qui me regarde !»

Ainsi que l'avait promis Mrs Hudelson, elle se disposa à visiter la maison de Lambeth-street. Le docteur était bien trop retenu dans son observatoire pour l'accompagner !

«Ce que vous ferez sera bien fait, madame Hudelson, et je m'en rapporte à vous, avait-il répondu lorsque la proposition lui fut faite. D'ailleurs, cela regarde surtout Francis et Jenny... Moi, je n'ai pas le temps...

— Voyons, papa, dit Loo, est-ce que vous ne comptez pas descendre de votre donjon le jour de la noce ?...

— Mais si... Loo... si...

— Et vous montrer à Saint-Andrew, votre fille au bras ?...

— Mais si... Loo... si...

— Et avec votre habit noir et votre gilet blanc... votre pantalon noir et votre cravate blanche ?...

— Mais si... Loo... si...

— Et n'oublierez-vous pas vos planètes pour répondre au discours que fera le révérend O'Garth ?...

— Si... Loo... si... Mais nous n'en sommes pas encore là ! et puisque le ciel est pur aujourd'hui, ce qui est assez rare en avril, allez sans moi.»

Et voilà comment Mrs Hudelson, Jenny, Loo et Francis Gordon laissèrent le docteur manœuvrer sa lunette et son télescope. Et qu'on en ait l'assurance, par ce beau soleil, c'était bien à la même manœuvre que se livrait M. Dean Forsyth dans la tour de la maison d'Elizabeth-street. Et qui sait, peut-être le météore, une première fois aperçu et perdu depuis dans les lointains de l'espace, allait-il passer une seconde devant l'objectif de leurs instruments !...

Les visiteurs sortirent dans l'après-midi. Ils descendirent Morris-street, ils traversèrent la place de la Constitution, et reçurent au passage le salut aimable du juge de paix John Proth ; ils remontèrent Exter-street, tout comme le faisait une quinzaine de jours avant Seth Stanfort attendant Arcadia Walker ; ils atteignirent le faubourg de Wilcox et se dirigèrent vers Lambeth-street.

À noter que sur l'expresse recommandation de Loo, pour ne pas dire sur l'ordre donné par elle, Francis Gordon s'était muni d'une bonne lorgnette de théâtre. Puisque, des fenêtres de la future maison, on avait une si belle vue, au dire de Francis, la fillette entendait ne point laisser inexploré l'horizon qui s'offrait aux regards.

On arriva devant le numéro 17 de Lambeth-street. La porte fut ouverte puis refermée, et la visite commença par le rez-de-chaussée.

En vérité, cette maison était des plus agréables, bien disposée suivant les règles du confort moderne. Elle avait été entretenue avec soin. Aucune réparation à faire. Il suffirait de la meubler, et les meubles étaient déjà commandés chez le meilleur tapissier de Whaston. Par derrière, un cabinet de travail et une salle à manger prenaient sortie sur le jardin, oh ! pas grand, quelques acres seulement, mais ombragé de deux beaux hêtres, avec une pelouse verdoyante et des corbeilles où commençaient à s'épanouir les premières fleurs du printemps. Dans le sous-sol, offices et cuisine éclairés, à la mode anglo-saxonne.

Le premier étage valait le rez-de-chaussée. Les chambres spacieuses étaient desservies par un couloir central. Jenny ne put que féliciter son fiancé d'avoir découvert cette jolie résidence, une sorte de villa d'un si charmant aspect. Mrs Hudelson partageait l'avis de sa fille, et, assurément, on n'aurait pu trouver mieux dans n'importe quel quartier de Whaston.

Quant à miss Loo, elle laissait volontiers sa mère, sa sœur et Francis Gordon causer ensemble tentures et mobilier. Elle voletait à tous les coins de la maison, comme un oiseau dans sa cage. Elle était enchantée, d'ailleurs, et cette villa lui convenait parfaitement. Elle le répétait toutes les fois qu'elle se rencontrait à un étage ou à l'autre avec Mrs Hudelson, Jenny et Francis.

Et, à un moment où tous se trouvaient réunis dans le salon :

« Moi, j'ai fait choix de ma chambre, s'écria-t-elle.

— Votre chambre, Loo ?... demanda Francis.

— Oh ! ajouta la fillette, je vous ai laissé la plus belle, d'où l'on voit le fleuve... Moi... je respirerai l'air du jardin...

— Et, que veux-tu faire d'une chambre ?... reprit Mrs Hudelson.

— Pour habiter, mère, lorsque père et toi, vous irez en voyage...

— Mais tu sais bien que ton père ne voyage pas, ma chérie...

— Si ce n'est dans l'espace ! repartit la fillette en traçant de la main une route imaginaire à travers le ciel.

— Et qu'il ne s'absente jamais, Loo...

— Laissons faire ma sœur, dit alors Jenny. Oui... elle aura sa chambre dans notre maison, et elle y viendra toutes les fois que cela lui fera plaisir !... Et elle y demeurerait si, par hasard, mon père et toi, chère mère, quelque affaire vous appelait hors de Whaston... »

C'était là une éventualité si improbable que Mrs Hudelson n'aurait pu l'admettre.

« Eh bien... la vue... la belle vue qu'on doit avoir de là-haut ! »

Et par « là-haut » la fillette entendait cette partie supérieure de la maison, bordée d'une balustrade qui régnait à la naissance du toit. De là, le regard pouvait parcourir tous les points de l'horizon jusqu'aux collines du voisinage.

En réalité, Mrs Hudelson, Jenny et Francis eurent raison de suivre Loo. Comme le quartier de Wilcox est assez élevé, il en résultait que de la villa située à son point culminant, un vaste panorama s'offrait aux yeux. On pouvait remonter et descendre le cours du Potomac et apercevoir au-delà cette bourgade de Steel, d'où miss Arcadia Walker était partie pour rejoindre Seth Stanfort. La ville entière apparaissait avec les clochers de ses églises, les hautes toitures des édifices publics, les têtes d'(arbres)[1] qui s'arrondissaient en dômes de verdure. Il fallait voir cette curieuse Loo manœuvrer sa lorgnette en tous les sens d'un quartier à l'autre ! Elle répétait :

« Voici la place de la Constitution... Voici Morris-street et j'aperçois notre demeure... avec le donjon et le pavillon qui flotte au vent !... Et il y a quelqu'un sur la terrasse...

— Votre père... dit Francis.

---

1. Mot oublié.

55

— Ce ne peut être que lui, déclara Mrs Hudelson.

— Lui...lui... en effet... affirma la fillette... je le reconnais... Il tient une lunette à la main... Et vous verrez qu'il n'aura pas la pensée de la diriger de ce côté !... Non !... elle est levée vers le ciel... Nous ne sommes pas si haut, père !... Par ici !... par ici !... »

Et Loo appelait, appelait, comme si le docteur Hudelson eut pu l'entendre... D'ailleurs, en admettant qu'il ne fût pas si éloigné, n'était-il point trop occupé pour répondre ?...

Voici que Francis Gordon dit alors :

«Puisque vous apercevez votre maison, mademoiselle Loo, il n'est pas impossible que vous aperceviez celle de mon oncle...

— Oui, oui... répondit la fillette... laissez-moi chercher... Je la reconnaîtrai bien avec sa tour... Ce doit être de ce côté... Attendez... Bon ! Je vais mettre la lorgnette au point... Bien... bien !... la voilà... oui... la voilà ! »

Loo ne se trompait pas. C'était bien la maison de M. Dean Forsyth.

«Je la tiens... je la tiens !» répétait-elle d'un ton triomphant comme si elle venait de faire quelque importante découverte de nature à illustrer sa petite personne.

Après une minute d'attention :

«Il y a quelqu'un sur la tour... dit-elle.

— Mon oncle assurément ! répondit Francis.

— Il n'est pas seul...

— C'est Omicron qui est avec lui !...

— Il ne faut pas demander ce qu'ils font ?... observa Mrs Hudelson.

— Ils font ce que fait mon père !» répliqua Jenny.

Et ce fut comme une ombre de tristesse qui passa sur le front de la jeune fille. Elle craignait toujours qu'une rivalité de Dean Forsyth et du docteur Hudelson ne vint jeter quelque refroidissement entre les deux familles. Le mariage conclu, son influence interviendrait plus sérieusement et saurait empêcher toute rupture entre ces deux rivaux. Francis l'y aiderait. L'un empêcherait son oncle, l'autre son père de se brouiller sur une question d'astronomie, ce qui avait déjà failli arriver.

La visite achevée, Loo ayant une dernière fois affirmé sa complète satisfaction, Mrs Hudelson, ses deux filles et Francis Gordon revinrent à la maison de Morris-street. Dès le lendemain, on passerait bail avec le propriétaire de la villa, on s'occuperait de l'ameublement, et il n'y aurait plus qu'à attendre le jour où les deux jeunes époux viendraient l'habiter.

Et, sans doute, grâce à ces importantes occupations, la confection des toilettes, l'échange des politesses avec amis et connaissances, ils s'écouleraient vite, les quarante-cinq jours compris entre le 10 avril et le 25 mai[2], date fixée pour le mariage.

«Vous verrez qu'on ne sera pas prêt!» répétait l'impatiente Loo, et on peut être certain que ce ne serait pas sa faute, car elle aurait l'œil et la main à tout.

De leur côté, pendant ce temps, M. Dean Forsyth et le docteur Hudelson ne perdraient pas une heure mais pour d'autres motifs. Ce qu'allait leur coûter de fatigues physiques et morales, d'observations prolongées par les jours clairs et les nuits sereines, la recherche de leur bolide, qui s'obstinait à ne point reprendre sa trajectoire au-dessus de l'horizon! Mais cet horizon de Whaston n'était-il pas renfermé dans des limites trop étroites?... Ne conviendrait-il pas de fouiller une plus vaste portion de ciel? En se transportant sur quelque haute montagne, ne disposerait-on pas d'un champ plus étendu pour y suivre la translation du météore?... Et il ne serait pas nécessaire d'aller bien loin, de quitter l'Amérique du Nord, de s'installer en plein Mexique, au sourcilleux sommet du Chimboranzo de l'Amérique du Sud!... De telles altitudes ne s'imposaient pas, et à quinze ou dix-huit cents mètres au-dessus du niveau de la mer, quelle magnifique aire de la voûte céleste les instruments pourraient parcourir! Eh bien, dans les États voisins de la Virginie, en Géorgie ou en Alabama, est-ce que les Alleghanys n'offraient pas des cimes assez élevées pour faciliter les recherches de nos deux astronomes?...

---

2. J.V. oublie avoir précédemment donné le 31 mai pour date du mariage.

Qu'on n'en doute pas, sans avoir eu besoin de se concerter à ce sujet, M. Dean Forsyth et le docteur Hudelson se demandaient s'ils ne feraient pas bien de chercher non seulement un plus large horizon, mais aussi une atmosphère plus dégagée de vapeurs!

Et, en vérité, c'est qu'ils en étaient pour leurs peines. Bien qu'ils eussent profité de temps calmes que n'obscurcissait aucune brume, ni entre le lever et le coucher du soleil, ni entre son coucher et son lever, le météore n'avait pu être saisi à son passage en vue de Whaston.

« Et y passe-t-il seulement ?... disait Dean Forsyth après une longue pose à l'oculaire de son télescope.

— Il passe, répondait Omicron avec un imperturbable aplomb.

— Alors pourquoi ne le voyons-nous pas ?..

— Parce qu'il n'est pas visible...

— Et s'il n'est pas visible pour nous, qui dit qu'il ne l'est pas pour d'autres ?»

Ainsi raisonnaient le maître et le serviteur, en se regardant d'un œil rougi par d'épuisantes veilles.

Or, ces propos qu'ils échangeaient entre eux, le docteur Hudelson se les tenait sous forme de monologue, et il n'était pas moins désespéré de son insuccès.

Tous deux avaient reçu des observatoires de Pittsburg et de Cincinnati une réponse à leur lettre. Cette réponse marquait qu'il était pris bonne note de la communication relative à cette apparition d'un bolide à la date du 2 avril dans la partie septentrionale de l'horizon de Whaston. Elle ajoutait que de nouvelles observations, qui n'avaient pas réussi à retrouver ce bolide, seraient continuées, et s'il était aperçu de nouveau, M. Dean Forsyth et le docteur Stanley Hudelson en seraient aussitôt avisés.

Il est bien entendu que les deux observatoires avaient répondu séparément, sans savoir que ces deux astronomes amateurs s'attribuaient chacun l'honneur de cette découverte et en revendiquaient la priorité.

Assurément, à la tour de la maison d'Elizabeth-street comme au donjon de la maison de Morris-street, on eût pu se dispenser de poursuivre ces fatigantes recherches. Les observatoires prévenus, mieux outillés, possédaient des instruments à la fois plus puissants et plus précis. Pas de doute que si le météore n'était pas une masse errante, s'il obéissait à des influences régulières, s'il revenait enfin dans les conditions où il avait été aperçu déjà, les lunettes et les télescopes de Pittsburg et de Cincinnati le saisiraient au passage. M. Dean Forsyth et M. Sydney Hudelson n'eussent-ils pas mieux fait de s'en remettre aux directeurs de ces deux établissements renommés?...

Eh bien, non!... ils s'attachèrent plus activement que jamais à poursuivre leur œuvre. Et cela tenait à ce que tous deux avaient ce pressentiment qu'ils poursuivaient le même résultat. Ils ne s'étaient rien communiqué de leurs travaux, ils n'en étaient qu'à des hypothèses, et cependant l'inquiétude que l'un fût devancé par l'autre, ne leur laissait pas un moment de répit. La jalousie les mordait au cœur, et, en réalité, il était à désirer pour les relations des deux familles que ce malencontreux bolide ne reparût jamais à leurs yeux!

En effet, il y avait lieu d'être inquiet, et cette inquiétude ne pouvait qu'aller croissant. M. Dean Forsyth et le docteur Hudelson ne mettaient plus le pied l'un chez l'autre. Naguère, il ne se passait pas quarante-huit heures sans qu'il n'y eût échange de visites, et souvent invitations à dîner. À présent, visites nulles, invitations nulles aussi, et même était-il préférable de n'en point faire afin de s'épargner un refus.

Quelle situation pénible, en somme, pour les deux fiancés. Ils se voyaient pourtant, et chaque jour, car enfin la porte de la maison de Morris-street n'était point interdite à Francis Gordon. C'était à lui de venir, d'ailleurs, et non à Jenny. Mrs Hudelson lui témoignait toujours la même confiance et la même amitié; mais il sentait bien que le docteur ne supportait pas sa présence sans une gêne visible. Et quand on parlait de M. Dean Forsyth devant M. Stanley Hudelson, celui-ci devenait tout pâle, puis tout rouge, trahissant ainsi l'antipathie qu'il éprouvait, et, en des conditions identiques, ces regrettables symptômes se révélaient dans l'attitude de M. Forsyth.

Mrs Hudelson avait bien essayé de connaître la cause de ce refroidissement, plus encore de cette aversion que ressentaient les deux anciens amis. Mais la tentative avait échoué, et son mari s'était borné à répondre :

« Non... je ne me serais pas attendu à un tel procédé de la part de Forsyth ! »

Quel procédé ?... Impossible d'obtenir une explication à ce sujet. Loo, elle-même, Loo, l'enfant gâtée à qui tout était permis, ne savait rien. Elle avait bien proposé d'aller relancer M. Forsyth jusque dans sa tour. Mais Francis l'en dissuada, et sans doute elle n'aurait reçu de l'oncle de Francis qu'une réponse analogue à celle que faisait son père.

« Non... je n'aurais jamais cru Hudelson capable d'une pareille conduite à mon égard ! »

À noter que la bonne Mitz, lorsqu'elle voulut tenter l'aventure il lui fut répondu d'un ton sec :

« Mêlez-vous de ce qui vous regarde ! »

Cependant, on finit par apprendre ce dont il s'agissait par une indiscrétion d'Omicron que la vieille servante rapporta à Francis. Son maître avait découvert un bolide extraordinaire, et il y eut lieu de penser que même découverte, au même jour et à la même heure, avait été faite par le docteur Hudelson.

Ainsi telle était la cause de cette rivalité aussi ridicule que violente. Un météore, le sujet de cette brouille entre deux vieux amis, et au moment où un nouveau lien allait resserrer leur amitié !... Un bolide, un aérolithe, une étoile filante, une pierre après tout, grosse pierre si l'on veut, et qui devenait pierre d'achoppement contre laquelle risquait de se briser le char nuptial de Francis et de Jenny !...

Aussi Loo ne pouvait-elle se retenir et s'écriait, comme l'eût fait un garçon :

« Au diable les météores, et avec eux toute la mécanique céleste ! »

Le temps s'écoulait. Le mois d'avril venait de céder la place au mois de mai. Dans vingt-cinq jours arriverait la date fixée d'un commun accord... Mais que se passerait-il d'ici là ?... Quelque grave éventualité ne se produirait-elle pas ?... Ne s'en suivrait-il point un éclat qui élèverait un insurmontable obstacle aux projets des deux familles ?... Jusqu'ici cette déplorable rivalité n'avait pas franchi les murs de la vie privée... Mais si quelque événement imprévu la révélait au public... Si un choc jetait les deux rivaux l'un contre l'autre ?...

Cependant, les préparatifs en vue du mariage avaient continué. Tout serait prêt pour le 25 de ce mois, même la belle robe de mademoiselle Loo !...

Ce qu'il y a lieu de noter, c'est que cette première semaine de mai s'écoula dans des conditions atmosphériques abominables, de la pluie, du vent, un ciel balayé de gros nuages qui se succédaient sans discontinuité. Ne se montrèrent ni le soleil qui décrivait alors une courbe assez élevée au-dessus de l'horizon, ni la lune, presque pleine, et qui aurait dû emplir l'espace de ses rayons.

Il suit de là qu'il fût impossible de faire aucune observation astronomique.

C'est bien ce dont Mrs Hudelson, Jenny et Francis Gordon ne songeaient point à se plaindre. Et jamais Loo, qui détestait le vent et la pluie, ne s'était plus réjouie de la persistance du mauvais temps.

«Qu'il dure au moins jusqu'à la noce, répétait-elle, et que pendant trois semaines encore on ne voie ni le soleil, ni la lune, ni la moindre étoile !»

Ainsi se passèrent les choses au grand dépit des deux astronomes en chambre, et à l'extrême satisfaction de leurs familles.

Mais cet état de choses prit fin, et les conditions se modifièrent dans la nuit du 8 au 9 mai. Une brise de nord chassa toutes ces vapeurs qui troublaient l'atmosphère, et le ciel recouvra sa complète sérénité.

M. Dean Forsyth, à sa tour, le docteur Hudelson, à son donjon, se remirent donc à fouiller le firmament au-dessus de Whaston depuis son extrême périmètre jusqu'au zénith. Le météore repassa-t-il devant leurs lunettes ?... Eurent-ils cette bonne fortune de le ressaisir, et lequel des deux fut le premier à l'apercevoir ?...

Ce qui est certain, c'est que leur attitude ne se transforma aucunement, et, puisque la mauvaise humeur fut égale chez l'un comme chez l'autre, c'est qu'ils en étaient pour leurs inutiles observations, et, sans doute, le météore ne se représenterait jamais à leurs regards.

Une note parue dans les journaux du 9 mai vint les fixer à cet égard.

Cette note était ainsi conçue :

« Vendredi soir, à dix heures quarante-sept du soir, un bolide de merveilleuse grosseur a traversé les airs dans la partie septentrionale du ciel avec une rapidité vertigineuse en se déplaçant du nord-est au sud-ouest. »

Ni M. Hudelson, ni M. Forsyth ne l'avaient aperçu, cette fois. Peu importait ! Ils ne doutaient pas que ce fût celui qu'ils avaient indiqué aux deux observatoires.

« Enfin ! s'écria l'un.

— Enfin ! » s'écria l'autre.

Aussi quelle fut leur joie... mais aussi leur dépit, on le comprendra, lorsque, le lendemain, les journaux complétaient l'information comme suit :

« D'après l'observatoire de Pittsburg, ce bolide serait celui que lui a signalé à la date du 9 avril M. Dean Forsyth de Whaston, et d'après l'observatoire de Cincinnati, celui que lui a signalé à la même date le docteur Stanley Hudelson de Whaston. »

VI

Qui contient quelques variations plus ou moins fantaisistes sur les météores en général et en particulier sur le bolide dont MM. Forsyth et Hudelson se disputent la découverte.

Si jamais continent put être fier de l'un de ses États, comme un père peut l'être de l'un de ses enfants, c'est bien le Nord-Amérique. Si jamais le Nord-Amérique put être fier de l'une de ses républiques, ce sont bien les États-Unis. Si jamais l'Union a pu être fière de l'un des cinquante et un États dont chaque étoile brille à l'angle du pavillon fédéral, c'est bien de cette Virginie, capitale Richmond. Si jamais la Virginie put être fière de l'une de ses cités que baignent les eaux du Potomac, c'est bien de cette ville de Whaston. Si jamais ladite Whaston put être fière de l'un de ses fils, c'est bien à l'occasion de cette retentissante découverte qui devait prendre un rang considérable dans les annales astronomiques du XXᵉ siècle !

On l'imaginera aisément, sans parler des innombrables feuilles quotidiennes, bi-hebdomadaires, hebdomadaires, bi-mensuelles, mensuelles qui fourmillent dans l'U.S.A., les journaux whastoniens, tout au moins au début, publièrent les plus enthousiastes articles sur M. Dean Forsyth et le docteur Hudelson. La gloire de ces deux illustres citoyens ne rejaillirait-elle pas sur toute la cité ?... Quel est celui de ses habitants qui n'en aurait pas sa part ?... Est-ce que le nom de Whaston n'allait pas être indissolublement lié à cette découverte ?... Est-ce qu'elle ne s'inscrirait pas dans les archives municipales avec le nom des deux astronomes auxquels la science en serait redevable ?...

Que le lecteur ne s'en montre donc pas surpris, et qu'il nous en croie sur parole, si nous lui affirmons que, dès ce jour, la population se dirigea en foule bruyante et passionnée vers les deux maisons de Morris-street et d'Elizabeth-street. Il va sans dire que personne n'était au courant de cette rivalité qui existait entre M. Forsyth et M. Hudelson. L'enthousiasme public les unissait dans le même élan. Qu'ils eussent opéré de conserve en cette circonstance, cela ne pouvait faire l'objet d'un doute. Leurs deux noms deviendraient inséparables dans la suite des âges, et peut-être après des milliers d'années, les futurs historiens n'affirmeraient-ils pas qu'ils avaient été portés par un seul homme ?...

Ce qui est certain, c'est que, pour répondre aux acclamations de la foule, M. Dean Forsyth dut paraître sur la terrasse de la tour, et M. Stanley Hudelson sur la terrasse du donjon. Devant les hurrahs qui s'élevaient vers eux, ils s'inclinèrent en salutations reconnaissantes.

Et, cependant, un observateur eût constaté que leur attitude n'exprimait pas une joie sans mélange. Une ombre passait sur ce triomphe, comme un nuage sur le soleil. Le regard oblique de l'un se portait vers la tour, et le regard oblique de l'autre vers le donjon. Tous deux se voyaient répondant aux applaudissements du public whastonien. Leur longue-vue les en avait déjà instruits, et, si elle eût été chargée, qui sait s'ils ne l'eussent pas tirée l'un contre l'autre ! Leurs regards, où se seraient concentrés tous leurs sentiments de jalousie, eussent fait balle !

Du reste, Dean Forsyth ne fut pas moins acclamé que le docteur Hudelson, et réciproquement, par les mêmes citoyens qui se succédèrent devant les deux maisons.

Et, durant ces ovations qui mettaient chaque quartier en rumeur, que se disaient Francis Gordon et la servante Mitz, Mrs Hudelson, Jenny et Loo ? Entrevoyaient-ils les fâcheuses conséquences qu'allait produire la note envoyée aux journaux par l'observatoire de Pittsburg et l'observatoire de Cincinnati ?... Ce qui avait été secret jusqu'alors était connu maintenant... M. Forsyth et M. Hudelson avaient découvert un bolide, chacun de son côté, et, étant donnée la concordance des dates, il fallait bien reconnaître qu'il s'agissait du même météore... N'y avait-il donc pas lieu de se demander si, chacun de son côté, aussi, ne revendiquerait pas, sinon le bénéfice, du moins l'honneur de cette découverte, s'il n'en résulterait point un éclat très regrettable pour les deux familles ?...

Les sentiments que Mrs Hudelson et Jenny éprouvèrent pendant que la foule manifestait devant leur maison, il n'est que trop facile de les imaginer et de les comprendre. Toutes deux avaient vu cette manifestation en se tenant derrière les rideaux de leur fenêtre. Si le docteur avait paru sur la terrasse du donjon, elles s'étaient bien gardées de paraître au balcon de leur chambre. Le cœur serré, elles entrevoyaient les conséquences de l'information publiée par les journaux. Et si M. Forsyth et M. Hudelson, poussés par un absurde sentiment de jalousie, se disputaient le météore, le public ne prendrait-il pas fait et cause pour l'un ou pour l'autre. Chacun d'eux aurait ses partisans, et au milieu de l'effervescence qui régnerait alors dans la ville, au milieu des troubles qui se produiraient peut-être, quelle serait la situation des deux familles, celle des futurs époux, ce Roméo et cette Juliette, dans une querelle scientifique qui mettrait aux prises les Capulets et les Montaigus de la cité américaine !

En ce qui concerne Loo, elle était furieuse ; elle voulait ouvrir sa fenêtre ; elle voulait apostropher tout ce populaire ; elle regrettait de ne pas avoir une pompe à sa disposition pour asperger cette foule et noyer ses hurrahs sous des torrents d'eau froide. Sa mère et sa sœur eurent quelque peine à modérer les trop légitimes indignations de la fillette.

Il en fut de même à Elizabeth-street. Francis Gordon aurait volontiers envoyé au diable tous ces enthousiastes qui risquaient d'aggraver une situation déjà tendue. Il avait d'abord eu l'intention de monter près de son oncle. Mais il ne le fit pas, par crainte de ne pouvoir cacher le dépit qu'il éprouvait. Il laissa donc M. Forsyth et Omicron parader sur la tour.

Mais, de même que Mrs Hudelson avait dû réprimer les impatiences de Loo, de même Francis Gordon dut refréner les colères de la bonne Mitz. Celle-ci voulait balayer cette foule, et l'instrument qu'elle maniait chaque jour avec tant d'habileté, eût terriblement fonctionné entre ses mains. Toutefois, recevoir à coups de balai des gens qui viennent vous acclamer, c'eût été peut-être un peu vif, et le neveu dut intervenir dans l'intérêt de son oncle.

« Ah ! monsieur Francis, s'écriait la vieille servante, est-ce que ces criards-là ne sont pas fous ?...

— Je serais tenté de le croire, répondait Francis Gordon.

— Et tout cela à propos d'une espèce de grosse pierre qui se promène dans le ciel !...

— Comme vous dites, bonne Mitz !

— Bon ! si elle pouvait leur tomber sur la tête et en écraser une demi-douzaine !... Enfin, je vous le demande, à quoi ça sert-il, ces bolides ?...

— À brouiller les familles ! », déclara Francis Gordon, tandis que les hurrahs éclataient de plus belle.

Et, vraiment, si cette découverte, due aux deux anciens amis, devait leur valoir tant de gloire, pourquoi n'accepteraient-ils pas de la partager ?... Leurs deux noms y seraient attachés jusqu'à la fin des siècles !... Il n'y avait là aucun résultat matériel, aucun profit pécuniaire à espérer !... Ce serait un honneur purement platonique !... Mais quand l'amour-propre est en jeu, quand la vanité s'en mêle, allez donc faire entendre raison à des entêtés pareils qui méritaient d'avoir maître Aliboron parmi leurs ancêtres !

Après tout, était-il donc si glorieux d'avoir aperçu ce météore ?... Sa découverte, n'était-ce pas au hasard qu'elle était due, et pour cette raison qu'il avait traversé l'horizon de Whaston, juste au moment où M. Dean Forsyth et M. Stanley Hudelson regardaient à travers l'oculaire de leurs instruments !

Et, d'ailleurs, est-ce qu'il n'en passe pas, jour et nuit, par centaines, par milliers de ces bolides, de ces astéroïdes, de ces étoiles filantes ?... Et d'autres que ces amateurs, n'avaient-ils pas aperçu le sillon lumineux que celui-là traçait dans l'espace ?... Est-ce qu'il est même possible de les compter ces globes de feu qui décrivent par essaims leurs capricieuses trajectoires sur le fond obscur du firmament ?... Six cents millions, disent les savants, pour le nombre de météores que l'atmosphère terrestre reçoit dans une seule nuit, soit douze cents millions par jour... Et, d'après Newton, il y aurait dix à quinze millions de ces corps qui seraient visibles à l'œil nu !... «Dès lors, de quoi se prévalaient ces deux découvreurs à propos d'une découverte devant laquelle les astronomes n'avaient point à se découvrir.»

Cette dernière phrase, c'était celle qui terminait un article du *Punch*, le seul journal de Whaston qui prit la chose par son côté plaisant et ne négligea point cette occasion d'exercer sa verve comique.

Il n'en fut pas ainsi de ses confrères plus sérieux qui, eux, profitèrent de ladite occasion pour faire étalage d'une science, puisée au Larousse américain, à rendre jaloux les professionnels les plus cotés des observatoires les plus illustres.

«Ces bolides, disait le *Standard Whaston*, Kepler croyait qu'ils provenaient des exhalaisons terrestres ; mais il paraît plus vraisemblable que ces phénomènes ne sont que des aérolithes, chez lesquels on a toujours constaté les traces d'une violente combustion. Du temps de Plutarque, on les considérait déjà comme des masses minérales, qui se précipitent sur le sol terrestre lorsqu'ils sont soustraits à la force de rotation générale. À les bien étudier, en les comparant aux autres minéraux, on leur trouve une composition identique, qui comprend à peu près le tiers des corps simples ; mais l'agrégation de ces éléments est différente. Les granules y sont tantôt menus comme de la limaille, tantôt gros comme des pois ou des noisettes d'une dureté remarquable et qui à la cassure présentent des traces de cristallisation. Il en est même qui sont uniquement formés de fer, de fer à l'état natif, le plus souvent mélangé de nickel, et que l'oxydation n'a jamais altérés.»

Très juste ce que le *Standard Whaston* portait à la connaissance de ses lecteurs. Mais le *Daily Whaston*, lui, insistait sur le soin que, de tout temps, les savants anciens ou modernes avaient pris d'étudier ces pierres météoriques et il disait :

« Est-ce que Diogène d'Apollonie ne cite pas une étoile de pierre incandescente dont la chute près d'Aegos-Potamos causa grande épouvante aux habitants de la Thrace, et qui avait la grandeur d'une moule de moulin. Qu'un pareil bolide vint à tomber sur le clocher de Saint-Andrew, et il le démolirait de son faîte à sa base. N'était-il pas à propos de donner la liste de ces pierres qui, venues des profondeurs de l'espace, et entrées dans le cercle d'attraction de la Terre, furent recueillies sur son sol : avant l'ère chrétienne, la pierre de foudre que l'on adorait comme le symbole de Cybèle en Galatie et qui fut transportée à Rome, ainsi qu'une autre, trouvée à Émèse en Syrie et consacrée au culte du Soleil ; le bouclier sacré recueilli sous le règne de Numa ; la pierre noire que l'on garde précieusement dans la Kaaba de La Mecque ; la pierre de tonnerre qui servit à fabriquer la fameuse épée d'Antar. Après l'ère chrétienne, que d'aérolithes décrits avec les circonstances qui accompagnèrent leur chute : une pierre de deux cent soixante livres tombée à Ensisheim en Alsace ; une pierre d'un noir métallique, ayant la forme et la grosseur d'une tête humaine, tombée sur le mont Vaison, en Provence ; une pierre de soixante douze livres, dégageant une odeur sulfureuse, qu'on eût dite faite d'écume de fer, tombée à Larini en Macédoine ; une pierre tombée à Lucé, près de Chartres, en 1768, et brûlante à ce point qu'il fut impossible de la toucher. Et n'y a-t-il pas lieu de citer également ce bolide qui, en 1803, atteignit la ville normande de Laigle et dont Humboldt parle en ces termes : « À une heure de l'après-midi, par un ciel très pur, on vit un grand bolide se mouvant du sud-est au nord-ouest. Quelques minutes après, on entendit durant cinq ou six minutes, une explosion partant d'un petit nuage noir presque immobile, qui fut suivie de trois ou quatre autres détonations et d'un bruit que l'on aurait pu croire produit par des décharges de mousqueterie, auxquelles se mêlait le roulement d'un grand nombre de tambours. Chaque détonation détachait du nuage noir une partie des vapeurs qui le formaient. On ne remarqua en cet endroit aucun phénomène lumineux. Plus de deux mille pierres météoriques dont la plus grande pesait dix-sept livres, tombèrent sur une surface elliptique, dirigée du sud-est au nord-ouest, et ayant onze kilomètres de longueur. Ces pierres fumaient et elles étaient brûlantes sans être enflammées ; et l'on constata qu'elles étaient plus faciles à briser quelques jours après leur chute que plus tard. » Et voici maintenant le phénomène qui fut rapporté au secrétaire perpétuel de l'Académie royale de Belgique : en 1854, à Hurworth, à Darlington, à Durham, à Dundee, par un ciel étoilé mais obscur apparut un globe de feu d'un volume double de celui de la Lune lorsqu'elle se montre pleine à nos regards. Des rayons scintillants s'échappaient de sa masse d'un rouge de sang. À sa suite, traînait une longue queue lumineuse, couleur d'or, large, compacte et tranchant vivement sur le bleu foncé du ciel. Cette queue, droite au début, prenait la forme d'un arc en s'élevant. Ce bolide traçait sa trajectoire du nord-est au sud-ouest, et si étendue qu'elle se dessinait d'un horizon à l'autre. Il vibrait avec intensité ou plutôt tournait sur son axe, en passant du rouge vif au rouge foncé, et il disparut sans que sa disparition eût été indiquée par un éclat ou par une chute. »

Aux détails donnés par le *Daily Whaston*, le *Morning Whaston* ajoutait ceux-ci qui complétaient l'article de son confrère : « Si le bolide de Hurworth n'a pas éclaté, il n'en a pas été ainsi de celui qui, le 14 mai 1864, s'est montré à un observateur de Castillon, Gironde, France. Bien que son apparition n'eût duré que cinq secondes, sa vitesse était telle que, dans ce court espace de temps, il a décrit un arc de soixante degrés. Sa teinte bleu-verdâtre devenait blanche et d'un extraordinaire éclat. Entre l'explosion visible et la perception du bruit, il s'écoula de trois à quatre minutes, et, à une distance verticale de quarante kilomètres, le son emploie déjà deux minutes à la franchir. Il faut donc que la violence de cette explosion ait été supérieure aux plus fortes explosions qui peuvent se produire à la surface du globe. Quant à la dimension de ce bolide, calculée d'après sa hauteur, on n'estimait pas son diamètre à moins de quinze cents pieds, et il devait parcourir cinq lieues à la seconde, soit les deux tiers de la vitesse dont la terre est animée dans son mouvement de translation autour du Soleil. »

Après les dires du *Morning Whaston* vinrent les dires de l'*Evening Whaston*, traitant plus spécialement la question des bolides qui sont presque entièrement composés de fer, les plus nombreux, d'ailleurs. Il rappela à ses nombreux lecteurs qu'une masse météorique, rencontrée dans les plaines de la Sibérie, ne pesait pas moins de sept cents kilogrammes. Et qu'était-ce auprès de celle qui fut découverte au Brésil et dont le poids ne mesurait pas moins de six mille kilogrammes ? Et ne point oublier deux autres masses de même nature, l'une de quatorze mille kilogrammes, trouvée à Olimpia dans le Tucuman, l'autre de dix-neuf mille kilogrammes reconnue aux environs de Duranzo[1] au Mexique. Enfin, dans l'est du continent asiatique, à proximité des sources du fleuve Jaune, il existe un bloc de fer natif, haut d'une quarantaine de pieds, que les Mongols ont appelé la « Roche du Pôle », et qui passe, dans le pays, pour être tombé du ciel.

Et, ma foi, à la lecture de cet article, ce n'est pas trop s'avancer que d'affirmer qu'une partie de la population whastonienne ne laissa pas d'en éprouver un certain effroi. Pour avoir été aperçu dans les conditions que l'on sait, et à une distance qui devait être considérable, il fallait que le météore de MM. Forsyth et Hudelson eût des dimensions probablement très supérieures à celles des bolides du Tucuman, de Duranzo et de la Roche du Pôle. Qui sait si sa grosseur n'égalait pas, ne dépassait pas celle de l'aérolithe de Castillon, dont le diamètre avait été évalué à quinze cents pieds ?... Se figure-t-on le poids d'une telle masse de fer ?... Eh bien, si ledit météore avait déjà paru sur l'horizon de Whaston, n'y avait-il pas lieu de croire qu'il y reviendrait ?... Et si pour une raison quelconque il venait à s'arrêter sur un point de sa trajectoire, précisément situé au-dessus de Whaston, ce serait Whaston qui serait touchée avec une violence dont on ne pouvait se faire une idée !... Et n'était-

---

1. Sans doute, *Durango*.

ce pas l'occasion d'apprendre à ceux des habitants qui l'ignoraient, de rappeler à ceux qui la connaissaient, cette terrible loi de la chute des corps, la hauteur et le poids multipliés par le carré de la vitesse!...

Il suit de là qu'une certaine appréhension régna dans la ville. Le dangereux et menaçant bolide fut le sujet de toutes les conversations sur la place publique, dans les cercles comme au foyer familial. Surtout la partie féminine de la population ne rêvait plus que d'églises écrasées, de maisons anéanties, et si quelques hommes haussaient les épaules à propos d'un péril qu'ils considéraient comme imaginaire, ils ne formaient pas la majorité. Jour et nuit, on peut le dire, sur la place de la Constitution, comme dans les quartiers les plus élevés de la ville, des groupes se tenaient en permanence. Que le temps fût couvert ou non, cela n'arrêtait point les observations. Jamais les opticiens n'avaient vendu tant de lunettes, lorgnettes et autres instruments d'optique! Jamais le ciel ne fut tant visé par ces yeux inquiets de la population whastonienne! Lorsque le météore avait été aperçu par les astronomes de l'Ohio et de Cincinnati, ainsi que le déclara une note officielle, la direction qu'il suivait le faisait passer au-dessus de la ville et, qu'il fût visible ou non, le danger était de toutes les heures pour ne pas dire de toutes les minutes et même de toutes les secondes.

Mais, dira-t-on, non sans raison sérieuse, ce danger devait également menacer les diverses régions et avec elles les cités, les bourgades, les villages, les hameaux situés sous la trajectoire. Oui, évidemment. Le bolide devait faire le tour de notre globe, dans un temps qui n'était pas encore déterminé, et tous les points du sol au-dessous de son orbite étaient menacés par sa chute. Toutefois, c'était Whaston qui tenait le record de l'épouvante, si l'on veut bien accepter cette expression ultra-moderne, et ce record, elle l'eût volontiers abandonné à toute autre cité... de l'Ancien Continent surtout. Et si une terreur, vague d'abord, plus précise ensuite, et qui ne cessa d'aller croissant, s'empara de Whaston, c'est précisément parce que le bolide avait été pour la première fois signalé au-dessus d'elle. Donc, ce qui n'était pas douteux, c'est que divers points de cette trajectoire dominaient Whaston. Enfin l'impression géné-rale pouvait être définie ainsi : celle des habitants d'une ville assiégée, dont le bombardement peut commencer d'un instant à l'autre et qui s'attendent à ce qu'une bombe vienne écraser leur maison !... Et quelle bombe !...

Qui le croirait, il y eut un journal de la localité qui, dans cet état de choses, trouva matière à des articles de pure ironie. Et il eut nombre de lecteurs, bien qu'il fût constant qu'il se moquait d'eux ! Oui, le *Punch* chercha à augmenter encore les craintes de la population en exagérant le péril par la moquerie, péril dont il vou-lait rendre responsable M. Dean Forsyth et le docteur Hudelson.

« De quoi se sont mêlés, disait-il, ces amateurs ?... Avaient-ils donc besoin de fouiller l'espace avec leurs lunettes et leurs télescopes ?... Ne pouvaient-ils laisser tranquille ce firmament dont ils taquinent les étoiles !... Est-ce qu'il n'y a pas assez, est-ce qu'il n'y a pas trop d'autres savants qui se mêlent de ce qui ne les regarde pas en se faufilant dans les zones intrastel-laires ?... Les corps célestes n'aiment pas qu'on les regarde de si près, et leurs secrets, il n'appartient pas à des humains de les découvrir pour les divulguer ensuite !... Oui ! notre ville est menacée et personne n'y est plus en sûreté maintenant !... On s'assure contre l'incendie, contre la grêle, contre les cyclones... mais allez donc vous assurer contre la chute d'un bolide... un bolide qui est peut-être dix fois comme la citadelle de Whaston !... Et pour peu qu'il éclate en tombant, ce qui arrive fréquemment aux engins de cette espèce, la ville entière sera saccagée par ses débris, et qui sait même, incendiée, s'ils sont incandescents !... C'est la destruction certaine de notre chère cité !... Aussi pourquoi MM. Forsyth et Hudelson ne sont-ils pas restés tranquillement au rez-de-chaussée de leur maison au lieu de guetter les météores au passage !... Ce sont eux qui les ont provoqués par leur insistance, attirés par leurs manigances !... Si Whaston est détruite, si elle est écrasée ou brûlée par ce bolide, ce sera leur faute, et c'est à eux qu'il faut s'en prendre... Et nous le demandons à tout lecteur impartial, et s'il en est d'im-partiaux, ce sont bien ceux qui ont pris un abonnement au *Whaston Punch*, à quoi servent les astronomes, les astrologues, les météorologistes, et quel bien a-t-il jamais résulté de leurs travaux pour les habitants de ce bas monde ?... Et, pour rappeler cette vérité sublime, due au génie d'un Français, l'illustre Brillat-Savarin : "La découverte d'un plat nouveau fait plus pour le bonheur de l'humanité que la découverte d'une étoile !"»

VII

Dans lequel on verra Mrs Hudelson très chagrine de l'attitude du docteur vis-à-vis de M. Dean Forsyth et on entendra la bonne Mitz rabrouer son maître d'une belle manière.

À ces plaisanteries du *Whaston Punch*, que répondirent M. Dean Forsyth et le docteur Hudelson? Rien, et peut-être même ne lurent-ils pas l'article de l'irrespectueux journal. Ne valait-il pas mieux, d'ailleurs, ne point le prendre au sérieux? Mais enfin, ces moqueries, plus ou moins spirituelles, sont peu agréables pour les personnes qu'elles visent. Si, dans l'espèce, ces personnes n'en eurent point connaissance, leurs parents, leurs amis, ne purent les ignorer, et cela ne laissa point de leur causer quelque ennui. La bonne Mitz était furieuse. Accuser son maître d'avoir attiré ce bolide qui menaçait la sécurité publique!... À l'entendre, M. Dean Forsyth devrait poursuivre l'auteur de l'article, et le juge de paix, M. John Proth, saurait bien le condamner à de gros dommages-intérêts; sans parler de la prison qu'il méritait pour ses calomnieuses déclarations. Il ne fallut rien moins que l'intervention de Francis Gordon pour calmer la vieille servante. Quant à cette petite Loo, elle prit la chose par le bon côté, et il fallait l'entendre répéter en riant aux éclats:

« Ah oui !... le journal a raison !... Pourquoi M. Forsyth et papa se sont-ils avisés de découvrir ce maudit caillou dans l'espace ?... Sans eux, il serait passé inaperçu comme tant d'autres qui ne nous ont point fait de mal ! »

Et ce mal, ou plutôt ce malheur, auquel pensait la fillette, c'était la rivalité qui allait exister entre l'oncle de Francis et le père de Jenny. C'étaient les conséquences de cette rivalité, à la veille d'une union qui devait resserrer plus étroitement encore les liens entre les deux familles.

En effet, elles ne se préoccupaient, ne s'inquiétaient guère, on peut l'affirmer, de la chute si peu probable du bolide sur Whaston. Cette ville n'était pas plus menacée que celles qui se trouvaient situées sous la trajectoire décrite par le météore dans son mouvement de translation autour du globe terrestre. Qu'il dût tomber quelque jour, possible après tout mais non pas certain, et pourquoi ne conserverait-il pas à jamais cette situation de satellite soumis comme une autre lune à la gravitation terrestre ? Non ! Les Whastoniens n'avaient qu'à rire des plaisantes prédictions du *Punch* et ils en riaient, n'ayant pas comme les familles Forsyth et Hudelson de sérieuses raisons pour s'en chagriner.

Ce qui devait arriver, arriva. Tant que M. Dean Forsyth et le docteur Hudelson n'avaient eu que des soupçons l'un à l'égard de l'autre, tant qu'il n'était pas constaté qu'ils avaient suivi la même piste, aucun éclat ne s'était produit. Que leurs rapports se fussent un peu refroidis, soit ! Qu'ils eussent même évité de se rencontrer, soit encore ! Mais, à présent, depuis la publication des lettres des deux observatoires, il était publiquement établi que la découverte du même météore appartenait aux deux observateurs de Whaston. Qu'allaient-ils faire ?... Chacun d'eux revendiquerait-il par la voie des journaux, et, qui sait, devant la justice compétente, la priorité de cette découverte ?... Y aurait-il des débats retentissants à ce sujet et ne devait-on pas craindre que le *Punch*, dans ses fantaisistes articles, et avec le sans-gêne d'un journal plaisantin, ne vînt à pousser les deux rivaux à surexciter leur amour-propre, à jeter de l'huile sur ce feu, et mieux que de l'huile, du pétrole, puisque cela se passe en

Amérique et que les sources de ce liquide minéral y sont inépuisables ?... Et, sans doute, la caricature ne tarderait pas à se joindre aux racontars des reporters et la situation deviendrait de plus en plus tendue entre le donjon de Morris-street et la tour d'Elizabeth-street.

Aussi ne s'étonnera-t-on pas si M. Dean Forsyth et le docteur Hudelson ne faisaient jamais la moindre allusion au mariage dont la date approchait trop lentement, qu'on en soit assuré, au gré de Francis et de Jenny. C'était comme s'il n'en eût jamais été question. Lorsqu'on en parlait devant l'un ou devant l'autre, ils avaient toujours oublié quelque circonstance qui les rappelait à l'instant dans leur observatoire. C'était là, d'ailleurs, qu'ils passaient leurs journées, plus préoccupés, plus absorbés encore. Étaient-ils même au courant de l'indiscret et déplorable bavardage du journal satirique, il y avait lieu d'en douter. Comment les bruits du dehors auraient-ils atteint les hauteurs de la tour et du donjon ?... Francis Gordon, Mrs Hudelson s'ingéniaient à ne point les laisser arriver jusque-là, par crainte d'empirer les choses, et les deux rivaux avaient bien autre souci que de lire les journaux de la localité.

En effet, si le météore avait été revu par les astronomes des observatoires de l'Ohio et de la Pennsylvanie, c'est en vain que M. Dean Forsyth et Stanley Hudelson cherchaient à le retrouver sur sa trajectoire. S'était-il donc éloigné, et à une distance trop considérable pour la portée de leurs instruments ?... Hypothèse plausible après tout. Mais ils ne se départissaient pas d'une surveillance incessante, de jour, de nuit, profitant de toutes les éclaircies du ciel. Pour peu que cela continuât, ils finiraient par tomber malades !... Et si l'un allait le revoir avant l'autre, quel parti ne tirerait-il pas de cette circonstance, toute fortuite, cependant !...

Quant à calculer les éléments de ce nouvel astéroïde, la position exacte de son orbite, sa nature, sa forme, la distance à laquelle il se mouvait, la durée de sa révolution, cela dépassait évidemment les connaissances de M. Dean Forsyth et du docteur Hudelson. Aux savants spéciaux appartenait de déterminer ces éléments, et, d'ailleurs, le capricieux météore ne reparaissait pas sur l'horizon de Whaston, ou, du moins, ses deux observateurs ne parvenaient pas à le saisir au bout de leurs impuissantes lunettes ! De là, une constante et désagréable mauvaise humeur. On ne pouvait les approcher. M. Dean Forsyth, vingt fois par jour, se mettait en colère contre Omicron qui lui répondait sur le même ton. Quant au docteur, il en était réduit à passer sa colère sur lui-même, et il ne s'en faisait pas faute.

Dans ces conditions, qui se fût avisé de leur parler de contrat de mariage et de cérémonie nuptiale !

Cependant, une semaine venait de s'écouler depuis la publication de la note envoyée aux journaux par les observatoires de Pittsburg et de Cincinnati. On était au 18 mai. Encore treize jours, et la grande date serait arrivée, bien que Loo prétendît qu'elle n'arriverait jamais et qu'elle n'existait pas dans le calendrier. Non ! à l'entendre, il n'y aurait pas de 31 mai cette année-là. Elle disait cela, la fillette, pour rire et elle riait pour dissiper l'inquiétude qui régnait dans les deux maisons.

Cependant, il importait de rappeler à l'oncle de Francis Gordon et au père de Jenny Hudelson ce mariage dont ils ne parlaient pas plus que s'il n'eût jamais dû se faire. À la moindre allusion qu'on leur en faisait, ils détournaient brusquement la conversation et quittaient la place. La question fut donc agitée de les mettre au pied du mur, pendant une des visites que Francis faisait chaque jour à la maison de Morris-street. Mais, Mrs Hudelson pensa que mieux valait ne rien faire vis-à-vis de son mari. Il n'avait point à s'occuper des préparatifs de la noce... pas plus qu'il ne s'occupait de son propre ménage. Non... au jour venu, Mrs Hudelson lui dirait :

« Voilà ton habit, voilà ton chapeau, voilà tes gants... Il est l'heure de se rendre à Saint-Andrew pour la cérémonie... Offre-moi ton bras et viens... »

Assurément, il irait, même sans s'en rendre compte, et, à ce moment-là, pourvu que le météore ne vînt pas à passer devant l'objectif de son télescope !

Mais si l'avis de Mrs Hudelson prévalut dans la maison de Morris-street, celui de Francis Gordon ne prévalut pas dans la maison d'Elizabeth-street. Si le docteur ne fut point mis en demeure de s'expliquer sur son attitude vis-à-vis de M. Dean Forsyth, celui-ci se vit rudement pressé à ce sujet par sa vieille servante. Mitz ne voulut rien écouter. Elle était furieuse contre son maître. Elle sentait que la situation devenait de plus en plus grave et que le moindre incident risquait de provoquer une rupture entre les familles. Et quelles en seraient les conséquences ? Le mariage retardé, rompu peut-être, le désespoir des deux fiancés, de son cher Francis auquel M. Forsyth imposerait de renoncer à la main de Jenny. Et que pourrait faire le pauvre jeune homme, après un éclat public qui aurait rendu toute réconciliation impossible ?...

Aussi dans l'après-midi du 19 mai, se trouvant seule avec M. Dean Forsyth dans la salle à manger, elle l'arrêta au moment où il allait reprendre l'escalier de la tour.

On le sait, M. Forsyth redoutait de s'expliquer avec Mitz. Il ne l'ignorait point, ces explications ne tournaient généralement point à son avantage. Il se voyait obligé de battre en retraite, et, à son avis, du moment qu'on est assuré d'être vaincu dans une rencontre, il est plus sage de ne point s'exposer.

En cette occasion, après avoir regardé en dessous le visage de Mitz, lequel lui fit l'effet d'une bombe dont la mèche brûle et qui ne tardera pas à éclater, M. Dean Forsyth, désireux de se mettre à l'abri des éclats, se dirigea vers le fond de la salle. Mais, avant qu'il eût tourné le bouton de la porte, la vieille servante s'était mise en travers, la tête haute, ses yeux dardés sur son maître qui roulait les siens pour ne point la fixer, et, d'une voix dont elle ne cherchait point à modérer le tremblement :

« Monsieur Forsyth, j'ai à vous parler, dit-elle.

— À me parler, Mitz... C'est que je n'ai pas trop le temps en ce moment...

— Il faut l'avoir, Monsieur...

— Je crois qu'Omicron m'appelle...

— Il ne vous appelle pas, et s'il vous appelait, il voudrait bien attendre...

— Mais si mon bolide...

« — Votre bolide ferait comme Omicron, Monsieur... il attendrait...

— Par exemple ! s'écria M. Forsyth qui venait d'être touché au point sensible.

— D'ailleurs, reprit Mitz, le temps est couvert... il commence à tomber de grosses gouttes, et, pour l'instant, il n'y a rien à voir là-haut ! »

C'était vrai.. Ce n'était que trop vrai, et il y avait de quoi rendre enragés M. Forsyth tout comme le docteur Hudelson. Depuis quelque quarante-huit heures, le ciel était envahi par d'épais nuages. Le jour, pas un rayon de soleil, la nuit, pas un rayonnement d'étoile ! De basses vapeurs se tendaient d'un horizon à l'autre, comme un voile de crêpe que la flèche du clocher de Saint-Andrew crevait parfois de sa pointe. Dans ces conditions, impossible d'observer l'espace, d'épier le passage des astéroïdes, de revoir le bolide si vivement disputé. On devait même tenir pour probable que les circonstances atmosphériques ne se montraient pas plus favorables aux astronomes de l'État de l'Ohio ou de l'État de Pennsylvanie qu'à ceux des autres observatoires de l'Ancien et du Nouveau Continent. Et, en effet, aucune nouvelle note concernant l'apparition de ce météore du 2 avril n'avait paru dans les journaux. Il est vrai, cette apparition, qui datait déjà de six semaines, ne présentait pas un intérêt tel que le monde scientifique dût s'en émouvoir. Il s'agissait là d'un fait cosmique qui n'est point rare, tant s'en faut, et il fallait être un Dean Forsyth ou un Stanley Hudelson pour guetter le retour de ce bolide avec cette impatience qui, chez eux, tournait à la rage.

La bonne Mitz, après que son maître eut bien constaté l'impossibilité absolue de lui échapper, reprit en ces termes, après s'être croisé les bras :

« Monsieur Forsyth, auriez-vous par hasard oublié que vous avez un neveu qui s'appelle Francis Gordon ?...

— Ah ! ce cher Francis, répondit M. Forsyth en hochant la tête d'un air bonhomme. Mais non.. je ne l'oublie pas... Et comment va-t-il, ce cher Francis ?...

— Très bien, je vous assure...

— Il me semble que je ne l'ai pas vu depuis quelque temps...

— En effet, depuis deux heures environ, puisqu'il a déjeuné avec vous...

— Avec moi?... Ah! vraiment!...

— Mais vous ne voyez donc plus rien, mon maître?... demanda Mitz, en l'obligeant à se retourner vers elle.

— Si... si... ma bonne Mitz!... Que veux-tu?... Je suis un peu préoccupé...

— Préoccupé au point que vous paraissez avoir oublié une chose assez importante...

— Oublié?... Et laquelle?...

— C'est que votre neveu va se marier...

— Se marier... se marier?...

— N'allez-vous pas me demander de quel mariage il s'agit?...

— Non... non... Mitz!... Mais à quoi tendent ces questions?...

— À obtenir une réponse au sujet de votre conduite, Monsieur, envers la famille Hudelson!... car vous n'ignorez pas qu'il y a une famille Hudelson, un docteur Hudelson, qui demeure Morris-street, une mistress Hudelson, mère de miss Jenny et de miss Loo Hudelson et que celle que doit épouser votre neveu, c'est Jenny Hudelson!...»

Et, à mesure que ce nom d'Hudelson s'échappait de la bouche de la bonne Mitz, en prenant chaque fois plus de force, M. Dean Forsyth portait la main à sa poitrine, à son côté, à sa tête, comme si ce nom faisait balle, l'eut frappé à bout portant. Il soufflait, il suffoquait, le sang lui montait aux yeux, et voyant qu'il ne répondait pas :

«Eh bien... avez-vous entendu?... reprit Mitz.

— Si j'ai entendu!», s'écria son maître.

Et, à travers ses mâchoires étroitement serrées, c'est à peine si quelques vagues phrases pouvaient sortir de sa bouche.

«Eh bien?... demanda la vieille servante en forçant sa voix.

— Francis pense donc toujours à ce mariage? dit-il enfin.

— S'il y pense ! s'écria Mitz, mais comme il pense à respirer... comme nous y pensons tous... comme vous y pensez vous-même, j'aime à le croire !...

— Quoi !... mon neveu est toujours décidé à épouser la fille de ce docteur Hudelson ?...

— Miss Jenny, s'il vous plaît, mon maître, et il serait difficile de trouver une plus charmante personne...

— En admettant, reprit M. Forsyth, que la fille de l'homme qui... dont je ne peux prononcer le nom sans qu'il m'étouffe, puisse être charmante...

— Ah ! c'est par trop fort, déclara Mitz, qui dénoua violemment son tablier, comme si elle allait le rendre.

— Voyons... Mitz... voyons !», reprit son maître, quelque peu inquiet d'une attitude si menaçante.

De la main, la vieille servante retint son tablier dont le cordon pendait jusqu'à terre.

«Ainsi... voilà les idées qui vous viennent par la tête, monsieur Forsyth !...

— Mais... Mitz... tu ignores donc ce qu'il m'a fait, cet Hudelson...

— Et qu'est-ce qu'il vous a fait ?...

— Il m'a volé...

— Il vous a volé ?...

— Oui... volé... abominablement !

— Et que vous a-t-il volé ?... votre montre... votre bourse... votre mouchoir ?...

— Non... mon bolide !

— Ah ! votre bolide ! s'écria la vieille servante, en ricanant de la façon la plus ironique et la plus désagréable pour M. Forsyth. Votre fameux bolide !... que vous ne reverrez jamais, j'imagine...

— Mitz... Mitz !... prends garde à ce que tu dis là !», répliqua M. Forsyth.

Et, cette fois, c'était l'astronome qui venait d'être touché au cœur.

Il est vrai, rien n'aurait pu arrêter Mitz, qui était exaspérée et dont l'exaspération débordait.

«Votre bolide... répétait-elle, votre machine qui se promène là-haut... Eh bien, est-ce qu'il était à vous plus qu'à M. Hudelson? Est-ce qu'il n'appartient pas à tout le monde... à n'importe qui comme à moi?... Est-ce que vous l'avez acheté et payé de votre poche?... Est-ce qu'il vous est arrivé par héritage?... Est-ce que le bon Dieu vous en a fait cadeau, par hasard?...

— Tais-toi... Mitz... tais-toi... cria à son tour M. Forsyth, car il ne se possédait plus.

— Non, Monsieur, non! Je ne me tairai pas, et vous pouvez appeler ce bêta d'Omicron à votre aide...

— Bêta d'Omicron!...

— Oui... bêta... et il ne me fera pas taire... pas plus que notre président lui-même ne pourrait imposer silence à l'archange qui viendrait de la part du Tout-Puissant annoncer la fin du monde!»

M. Dean Forsyth fut-il absolument interloqué en entendant cette terrible phrase, son larynx s'était rétréci au point de ne plus donner passage à la parole, ses glottes désorganisées ne pouvaient-elles plus émettre un son?... Ce qui est certain, c'est qu'il ne parvint pas à répondre. Eût-il même voulu, au paroxysme de la colère, flanquer à la porte sa vieille servante, qu'il lui aurait été impossible de prononcer le traditionnel : «Sortez... sortez à l'instant!... et que je ne vous revoie plus!»

D'ailleurs, Mitz ne lui eût point obéi, qu'on en ait l'assurance, et il aurait été le premier puni si elle l'avait pris au mot. Ce n'est pas après quarante-cinq ans de service qu'un maître et une servante se séparent à propos d'un malencontreux météore! Il est vrai, si M. Forsyth finissait par céder sur la question du bolide, Mitz ne céderait pas sur la question du mariage de Francis Gordon et de Jenny Hudelson!

Cependant, il était temps que cette scène prît fin, surtout dans l'intérêt de M. Dean Forsyth, et, comprenant bien qu'il n'aurait pas le dessus, il cherchait à battre en retraite sans que ce mouvement ressemblât trop à une fuite.

Cette fois, ce fut le soleil qui lui vint en aide. Soudain le temps couvert se découvrit. Un vif rayon pénétra à travers les vitres de la fenêtre qui s'ouvrait sur le jardin. Il y avait au moins trois jours que l'astre radieux, caché derrière les brumes, ne s'était montré aux habitants de Whaston, et par conséquent, aux regards des deux importants personnages desquels sa réapparition était le plus vivement désirée.

À ce moment, sans nul doute, le docteur Hudelson était monté à son donjon, à moins qu'il n'y fût déjà, et c'est la pensée qui vint aussitôt à M. Dean Forsyth. Il voyait son rival profitant de cette heureuse éclaircie, à demi courbé sur sa terrasse, l'œil à l'oculaire de son télescope et parcourant les hautes zones de l'espace... Et qui sait si le météore ne sillonnait pas les airs et dans toute sa majestueuse visibilité ?...

Aussi M. Forsyth n'y put-il tenir. Il n'attendit pas, cette fois, que la voix d'Omicron retentît au sommet de la tour. Ce rayon de soleil faisait sur lui l'effet qu'il produit sur un ballon rempli de gaz. Il le gonflait, il accroissait sa force ascensionnelle. Il fallait qu'il s'élevât, il se dirigea vers la porte et, pour achever la comparaison, on peut dire qu'en fait de lest, il jeta toute la colère amassée contre sa vieille servante !

Mais Mitz se trouvait devant la porte et ne semblait point disposée à lui livrer passage. Serait-il donc dans la nécessité de la prendre par le bras, d'engager une lutte avec elle, de recourir à l'assistance d'Omicron ?... Non ! un autre moyen s'offrait à lui : en sortant de la salle, il se trouverait dans le jardin avec lequel la tour communiquait par une seconde porte, que ne défendait alors aucun cerbère, ni mâle ni femelle !...

Cette manœuvre ne fut pas nécessaire. À n'en pas douter, la vieille servante était très éprouvée par l'effort qu'elle venait de faire – physiquement du moins. Bien qu'elle eût assez l'habitude de morigéner son maître, jamais jusqu'alors, elle n'y avait mis une telle impétuosité. Le plus souvent, c'était à propos des oublis de M. Forsyth, quelques négligences dans sa toilette, de fréquents retards à l'heure des repas, son manque de précautions par les temps froids qui lui valaient des rhumes et des rhumatismes. Mais, cette fois, l'affaire présentait plus de gravité. Elle tenait au cœur de la bonne Mitz, qui luttait pour son cher Francis et aussi pour sa chère Jenny.

Et, en réfléchissant aux termes violents dont s'était servi M. Forsyth contre le docteur Hudelson, qu'il traitait tout simplement de voleur, ne devait-on pas craindre que la situation ne devînt plus inquiétante de jour en jour?... Les deux rivaux ne sortaient guère, soit!... Ils n'allaient plus l'un chez l'autre, soit encore. Mais enfin le hasard pouvait amener une rencontre dans la rue, chez un ami commun, et que résulterait-il de cette rencontre?... Sans doute un éclat, suivi d'une rupture définitive entre les deux familles. Or, c'était, avant tout, ce qu'il fallait empêcher. Et c'est bien à cette tâche que s'employait la vieille servante! Mais ce qui n'importait pas moins, c'était que son maître fût bien prévenu qu'elle ne lui céderait «pas ça» sur ce point.

Mitz avait donc quitté la place qu'elle occupait devant la porte et s'était laissée choir sur une chaise. Le passage se trouvait dégagé. Aussi, M. Dean Forsyth, tremblant à la pensée qu'un rideau de nuages ne vînt de nouveau voiler le soleil, et pour toute la journée peut-être, fit-il un pas pour sortir de la salle.

Mitz ne bougea pas. Mais, dès que la porte eut été ouverte, au moment où son maître se glissait dans le couloir qui conduisait au pied de la tour:

«Monsieur Forsyth, dit-elle, rappelez-vous bien que le mariage de Francis Gordon et de Jenny Hudelson se fera, et qu'il se fera exactement à la date convenue. C'est pour le 31 de ce mois. Rien ne vous manquera, votre chemise blanche, votre cravate blanche, votre gilet blanc, votre pantalon noir, votre habit noir, vos gants paille, vos bottines vernies, et votre chapeau de haute forme... D'ailleurs, je serai là!»

M. Dean Forsyth ne répondit pas un seul mot, et ce fut en bonds précipités qu'il s'élança sur l'escalier de la tour.

Elle, la bonne Mitz, qui s'était relevée pour formuler cette dernière mise en demeure, retomba sur sa chaise, secoua la tête, et quelques grosses larmes s'échappèrent de ses yeux!

VIII

Dans lequel la situation continue à s'aggraver, et cela grâce aux journaux de Whaston qui prennent parti, qui pour M. Forsyth, qui pour M. Hudelson.

Cependant, le temps marquait une sérieuse tendance à s'améliorer. En ce second mois de la saison printanière, le baromètre paraît jouir d'un repos bien mérité après ses agitations de l'hiver. Son aiguille, fatiguée par les secousses fréquentes, les hausses et les baisses qu'elle a subies, s'immobilise volontiers au-dessus du variable. Les astronomes peuvent donc compter sur une série de beaux jours et de belles nuits, propices à leurs observations si minutieuses et si précises.

Il va de soi que les circonstances atmosphériques qui les favoriseraient seraient également favorables aux travaux du donjon et de la tour. En effet, dans la nuit du 20 au 21 mai, le bolide traversa l'horizon de Whaston du nord-est au sud-ouest, et fut simultanément aperçu par les deux rivaux.

«C'est lui, Omicron, c'est lui! s'écria M. Dean Forsyth à dix heures trente-sept minutes du soir...

— Lui-même, déclara Omicron, qui remplaça son maître à l'oculaire du télescope, et ajouta :

— J'espère bien que ce docteur Hudelson n'est pas en ce moment sur son donjon !...

— Ou, s'il y est, conclut M. Forsyth, qu'il n'aura pas su retrouver ce bolide...

— Votre bolide... dit Omicron.

— Mon bolide !...», répéta Dean Forsyth.

Eh bien, ils se trompaient tous les deux. «Ce» docteur Hudelson veillait en son donjon, la lunette braquée vers le nord-est, et il avait suivi le météore au moment où il sortait des vapeurs du nord-est, et, tout comme eux, son regard ne le perdit pas de vue sur son parcours jusqu'à l'instant où il disparut dans les brumes du sud-ouest.

Au surplus, ils ne furent pas les seuls à le signaler dans cette partie du ciel. Aux observatoires de Pittsburg et de Cincinnati et aussi en maint autre de l'Ancien et du Nouveau Continent, on constata ladite apparition du météore. Il était probable, d'ailleurs, que sa marche eût été relevée d'une façon régulière, si, depuis plusieurs semaines, les vapeurs ne l'eussent obstinément caché aux regards. Avec quelle régularité, à quelle distance, et dans quel délai il accomplissait son tour du Monde, cela eût été mathématiquement établi, et il est à supposer qu'il le faisait en moins de temps que les Ziegler[1] (sic) et autres globe-trotters qui détenaient le record à cette époque.

Il était naturel que les journaux se fussent préoccupés de tenir leurs lecteurs au courant de tout ce qui se rapportait à ce bolide. L'attention des astronomes et, par suite, celle du public, avait été attirée sur lui. Que les gazettes de Whaston se montrassent plus empressées que d'autres à fournir des informations exactes, puisque les deux premiers découvreurs habitaient leur ville, rien de plus compréhensible. Mais, en somme, il se présentait dans des conditions telles que son étude s'imposait aux calculs des observatoires. Ce n'était pas une de ces étoiles filantes qui passent et disparaissent après avoir effleuré les dernières couches atmosphériques, un de ces astéroïdes qui se

---

1. Stiegler, *Le Tour du monde en soixante-trois jours*, Paris, Lecène, 1901.

montrent une fois et vont se perdre à travers l'espace, un de ces aérolithes dont la chute ne tarde pas à suivre l'apparition... Non! il revenait, ce météore, il circulait autour de la terre comme un second satellite, il méritait que l'on s'occupât de lui, et on s'en occupait, et, ainsi que cela résultera de ce fidèle récit, le phénomène devait prendre rang parmi les plus curieux qu'aient jamais enregistrés les annales astronomiques.

Donc, que l'on n'excuse pas l'amour-propre que mettaient M. Dean Forsyth et le docteur Hudelson à se le disputer, l'âpreté de leurs réclamations, les très fâcheuses conséquences qui en résultèrent, soit! Mais on le comprendra, et même on n'allait pas tarder à le comprendre.

Le météore pouvait maintenant être étudié avec quelque exactitude, et il le fut, par les hommes de l'art, ou, plus exactement, par les hommes de science. Les meilleurs instruments se braquèrent sur lui dans les divers observatoires, et les yeux les plus compétents s'appliquèrent aux oculaires desdits instruments.

En premier lieu, d'après les notes qui leur furent communiquées, les journaux firent connaître au public quelle trajectoire suivait le bolide.

Cette trajectoire se développait du nord-est au sud-ouest, en passant précisément au zénith de Whaston et il tomberait sur la ville si sa chute se produisait à ce point.

«Mais quelle apparence qu'il tombe! déclara le *Whaston Morning*, dans le dessein très légitime de rassurer ses abonnés. Il se meut avec une vitesse régulière, constante, uniforme, il n'y a pas lieu d'admettre la rencontre d'un obstacle sur sa route et qu'il puisse être arrêté dans son mouvement de translation.»

C'était l'évidence même, et en n'importe quelle ville, située comme Whaston sous sa trajectoire, il n'y avait aucune inquiétude à concevoir de ce chef.

«Assurément fit observer le *Whaston Evening*, il y a de ces aérolithes qui sont tombés, qui tombent encore. Mais ceux-là, le plus généralement de petites dimensions, divaguent dans l'espace, et ne choient que si l'attraction terrestre les saisit au passage.»

Cette explication était juste et il ne semblait pas qu'elle pût s'appliquer au bolide en question, d'une marche si régulière, et dont la chute ne devait pas être plus à craindre que celle de la Lune. Il est certain que, à certaines époques, le ciel est sillonné par un flux de météores, et, pour ne citer que cet exemple, dans la nuit du 12 au 13 novembre 1833, en moins de neuf heures, il « plut » un nombre d'étoiles filantes, mélangées de bolides, estimé à deux cent mille rien que dans une seule station.

« N'y a-t-il même pas à se demander, étant donné la fréquence de ces phénomènes, si notre globe, depuis sa formation, ne s'est pas alourdi considérablement du poids de ces milliers, de ces millions, de ces milliards d'aérolithes, et si ce poids ne s'accroîtra pas énormément dans la suite des siècles ?... Et, alors, grâce à l'accroissement de son volume, par conséquent de sa masse, par conséquent de sa puissance attractive, son mouvement de translation autour du Soleil, son mouvement de rotation sur son axe ne seront-ils pas modifiés ?... Qui sait même si l'orbite de la Lune ne subira pas quelque changement et si sa distance à la Terre n'en sera pas diminuée ?... »

C'était le *Standard Whaston* qui avait fait cette observation, et, aussitôt, le *Punch* d'y ajouter la sienne sous la forme qui lui était habituelle :

« Allons bon !... ce n'est pas assez d'un nouveau bolide qui menace de nous écraser !... Voici que la Lune risque de nous tomber sur la tête !... Tout cela, c'est la faute à M. Dean Forsyth... c'est la faute au docteur Hudelson, et nous les dénonçons comme des malfaiteurs publics ! »

Il faut croire que ce diable de journal satisfaisait aussi des rancunes particulières en attaquant ces deux personnages. Sans doute, ils avaient refusé de s'abonner au *Whaston Punch*!...

La question de la distance à laquelle se mouvait le météore fut également traitée avec une certaine précision. Comprise entre vingt-six et trente kilomètres au-dessus du sol, elle égalait à peu près celle qui fut attribuée au magnifique bolide qui fut observé le 14 mars 1864, en Hollande, en Belgique, en Allemagne, en Angleterre, en France, et dont la vitesse atteignait soixante-cinq kilomètres par seconde, soit trois mille neuf cents kilomètres par minute, soit cinq mille huit cents lieues par heure ; vitesse très supérieure à celle de la Terre sur son orbite. Celle du nouveau météore ne l'égalait point, tant s'en faut, n'étant que de quatre cent dix à quatre cents kilomètres à l'heure. D'ailleurs, son altitude était suffisante pour qu'il ne pût heurter les sommets de l'Ancien et du Nouveau Continent, puisque les plus élevés, ceux de la chaîne du Tibet, le Dawalagiri[2], et le Chamalari[3] ne dépassent pas dix mille mètres au-dessus du niveau de la mer.

Ainsi donc, étant donné que le bolide faisait du quatre cent vingt lieues[4], soit plus de dix mille lieues par vingt-quatre heures, à peu près ce que font les points de l'Équateur terrestre pendant la rotation de notre globe sur son axe, étant donnée, d'autre part, cette distance de deux cents kilomètres[5] environ qui le séparait du sol, voici ce qui en résultait : c'est que c'était précisément en vingt-quatre heures qu'il circulait autour de la terre, alors que la Lune y emploie vingt-huit jours. Il suit de là que si l'atmosphère eut été constamment pure, il aurait toujours été visible pour les contrées situées au-dessous de sa trajectoire qu'il décrivait du nord-est au sud-ouest.

Mais, y a-t-il lieu de demander comment, à cette distance de cinquante lieues, le météore pouvait être visible, au moins pour les instruments d'une certaine portée ? Ne fallait-il pas que son volume fût assez considérable ?

C'est à cette question qui s'imposait naturellement, que le *Standard Whaston* répondit en ces termes :

« D'après la hauteur et la dimension apparente du bolide, son diamètre doit être de cinq à six cents mètres. Voilà ce que les observations ont permis d'établir jusqu'ici. Mais il n'a pas encore été possible de déterminer sa nature d'une manière suffisante. Ce qui le rend visible, en se servant de jumelles assez puissantes, c'est qu'il est vivement éclairé, et probablement

---

2. Aujourd'hui Dhaulágiri (Népal) 8 172 m.
3. Chomo Lhári, 7 314 m. Le mont Everest culmine à 8 848 m.
4. 1 680 km/h, quatre fois supérieure à la vitesse annoncée.
5. Trente, ci-dessus.

grâce à son frottement à travers les couches atmosphériques, bien que leur densité soit très faible à cette altitude, puisque rien qu'à la distance de dix-huit kilomètres, cette densité est déjà dix fois moindre qu'à la surface du sol. Mais n'est-ce qu'un amas de matière gazeuse, ce bolide? Ne se compose-t-il pas, au contraire, d'un noyau solide entouré d'une chevelure lumineuse?... Et quelle est la grosseur, quelle est la nature de ce noyau, c'est ce qu'on ne sait pas, ce qu'on ne saura jamais peut-être...

« Maintenant, y a-t-il à prévoir une chute dudit bolide? Non, évidemment. Sans doute, depuis un temps qu'il est impossible d'évaluer, il trace son orbite autour de la Terre, et si les astronomes de profession ne l'avaient pas encore aperçu, il ne faut s'en prendre qu'à eux. C'est à nos deux compatriotes, M. Dean Forsyth et le docteur Sydney Hudelson qu'était réservée la gloire de cette magnifique découverte.

« Quant à la question de savoir si ledit bolide fera explosion comme cela arrive fréquemment pour des météores similaires, voici ce qu'on peut répondre avec Herschel, réponse qui est en même temps une sérieuse explication : «La chaleur que les météorites possèdent lorsqu'elles tombent sur le sol, les phénomènes ignés qui les accompagnent, leur explosion lorsqu'elles pénètrent dans les couches plus denses de l'atmosphère, tout cela est suffisamment expliqué à l'aide de lois physiques par la condensation que l'air éprouve en conséquence de leur énorme vitesse de translation, et par les relations qui existent entre l'air très raréfié et la chaleur». Quant à ce qui concerne l'explosion, c'est à la pression supportée par la masse solide qu'elle doit être attribuée. C'est ce qui se produisit pour le bolide de 1863. Bien que la densité de l'air fût dix fois moindre à la distance où il se trouvait, il supportait une pression de six cent soixante quinze atmosphères, que seule une masse de fer peut subir sans éclater.»

Telles furent les explications données au public. En somme, ce bolide se présentait dans des conditions ordinaires, et, jusqu'alors, il ne se distinguait en aucune façon de ses pareils. Ou il sortirait de l'attraction terrestre, ou il continuerait à circuler autour du globe, ou il éclaterait et projetterait ses débris sur le sol, ou il tomberait comme tant d'autres sont tombés déjà et tomberont encore. En tout cela, il n'y avait rien d'extraordinaire. Aussi le monde savant ne s'en occupa-t-il que dans la mesure habituelle, et le monde ignorant n'y porta-t-il aucun intérêt spécial.

Seuls, – et c'est le fait sur lequel il convient d'insister – les habitants de Whaston s'attachèrent plus vivement à tout ce qui concernait ce météore. Cela tenait à ce que sa découverte était due à deux honorables personnages de la ville, et il semblait qu'il fût devenu leur bien, leur chose propre. D'ailleurs, peut-être, comme les autres créatures sublunaires, fussent-ils restés presque indifférents devant cet incident cosmique que le *Punch* appelait « comique », si les journaux n'avaient fait connaître la rivalité qui se prononçait de jour en jour plus sérieuse entre M. Dean Forsyth et le docteur Hudelson.

Mais, pour tout dire, bien qu'il n'y eut pas lieu de se passionner pour ce bolide, combien les circonstances allaient modifier les dispositions de l'opinion publique dans un délai très court. On verra jusqu'où peut aller la passion humaine, lorsqu'elle s'abandonne au désordre de ses appétits.

En attendant, la date du mariage approchait, et il s'en fallait d'une semaine seulement. Mrs Hudelson, Jenny, Loo, d'une part, Francis Gordon et la bonne Mitz de l'autre, vivaient dans une inquiétude croissante. Ils en étaient toujours à craindre un éclat, dû à quelque circonstance imprévue, cette rencontre de deux nuages chargés de courants contraires et qui fait tonner la foudre ! On savait que M. Forsyth ne décolérait pas, et que la fureur de M. Hudelson cherchait toutes les occasions de se manifester. Le ciel était généralement beau, l'atmosphère pure, les horizons de Whaston très dégagés. Les deux rivaux pouvaient, chaque vingt-quatre heures et pendant un certain temps, apercevoir le météore, passant au-dessus de leur tête, splendidement orné d'une brillante auréole ! Ils le dévoraient du regard, ils le caressaient des yeux, ils l'appelaient de leur propre nom, le bolide Forsyth, le bolide Hudelson ! C'était leur enfant, la chair de leur chair ! Il leur appartenait comme le fils à ses parents ! Sa vue ne cessait de les surexciter. Les observations qu'ils faisaient, les hypothèses qu'ils déduisaient de sa marche, de sa forme, ils les adressaient, celui-ci à l'observatoire de Cincinnati, celui-là à l'observatoire de Pittsburg, n'oubliant jamais de réclamer la priorité de leur découverte !...

Il parut même dans le *Whaston Standard* une note passablement agressive contre le docteur Hudelson, note qui fut attribuée à M. Dean Forsyth. Elle disait que certaines gens ont vraiment de trop bons yeux, quand ils regardent à travers les lunettes d'un autre et aperçoivent trop facilement ce qui a été aperçu déjà...

En réponse à cette note, il fut dit dès le lendemain dans le *Whaston Evening* qu'en fait de lunettes, il en est qui sont sans doute mal essuyées, et dont l'objectif est semé de petites taches qu'il n'est pas très adroit de prendre pour des météorites !...

Et, en même temps, le *Punch* publiait la très ressemblante caricature des deux rivaux, munis d'ailes gigantesques, et luttant de vitesse pour attraper leur bolide, figurant une tête de zèbre qui leur tirait la langue.

Cependant, bien que par suite de ces articles, de ces allusions vexatoires, la situation des deux adversaires tendît à s'aggraver de jour en jour, ils n'avaient pas encore eu l'occasion d'intervenir dans la question du mariage. S'ils n'en parlaient pas, du moins laissaient-ils aller les choses. Dussent-ils même ne point assister, – ce qui serait vraiment déplorable – pour éviter de se trouver face à face, la cérémonie se ferait quand même. Francis Gordon et Jenny Hudelson n'en seraient pas moins liés

> avec un lien d'or,
> Qui ne finit qu'à la mort

ainsi que le dit une vieille chanson de la Bretagne. Après, s'il convenait à ces deux entêtés de se brouiller tout à fait, du moins le révérend O'Garth aurait-il accompli l'œuvre matrimoniale dans l'église de Saint-Andrew.

Aucun incident ne vint modifier la situation pendant les journées du 22 et du 23 mai. Mais si elle ne s'aggrava pas, aucune amélioration ne lui fut apportée. Pendant les repas chez M. Hudelson, on ne faisait pas la plus petite allusion au météore, et miss Loo enrageait de ne pouvoir le traiter comme il le méritait. Sa mère lui avait fait comprendre que mieux valait se taire à ce sujet afin de ne point envenimer les choses. Toutefois, rien qu'à la voir couper sa côtelette, il était visible que la fillette pensait au bolide et eût voulu le réduire en si minces bouchées qu'on n'en pût retrouver la trace. Quant à Jenny, elle ne pouvait dissimuler sa tristesse, dont le docteur ne voulait pas s'apercevoir. Et peut-être, en réalité, ne le remarquait-il pas, tant l'absorbaient ses préoccupations astronomiques.

Il va de soi que Francis Gordon ne paraissait point à ces repas, et tout ce qu'il se permettait, c'était sa visite quotidienne, alors que le docteur Hudelson avait réintégré son donjon.

Du reste, lorsqu'il se trouvait à table avec son oncle, les repas n'étaient pas plus gais dans la maison d'Elizabeth-street. M. Dean Forsyth ne parlait guère, et, lorsqu'il s'adressait à la vieille Mitz, celle-ci ne répondait que par un oui ou un non aussi secs que le temps l'était alors.

Une seule fois, le 24 mai, M. Dean Forsyth, au moment où il se levait de table, après le déjeuner, dit à son neveu :

«Est-ce que tu vas toujours chez les Hudelson?...

— Certainement, mon oncle, répondit Francis d'une voix ferme.

— Et pourquoi n'irait-il pas chez les Hudelson?... demanda la vieille servante.

— Ce n'est pas à vous que je parle, Mitz! grommela M. Forsyth, c'est à Francis...

— Et je vous ai répondu, mon oncle. Oui, je vais chaque jour...

— Où vous devriez aller vous-même, Monsieur!... ne put retenir Mitz qui s'était croisé les bras et regardait son maître bien en face...

— Après ce que ce docteur m'a fait! s'écria M. Dean Forsyth.

— Et que vous a-t-il fait, mon oncle?...

95

— Il s'est permis de découvrir...

— Ce que vous découvriez vous-même... ce que tout le monde avait le droit de découvrir... ce que d'autres auraient bientôt découvert... car, de quoi s'agit-il ?... d'un bolide comme il en passe des milliers en vue de Whaston...

— Et il n'y a pas à en faire plus de cas que de la borne qui est au coin de notre maison... une pierre... un misérable caillou ! »

Ainsi, s'exprima Mitz, qui cherchait vainement à se contenir. Et alors, M. Dean Forsyth que cette réplique eut le don d'exaspérer, de répondre en homme qui ne se possède plus :

« Eh bien... moi... Francis, je te défends de remettre le pied chez le docteur...

— Je regrette de vous désobéir, mon oncle, déclara Francis Gordon en se maîtrisant non sans grands efforts, tant le révoltait cette prétention de son oncle, mais j'irai...

— Oui... il ira... s'écria à son tour la vieille Mitz... il ira voir mistress Hudelson... il ira voir miss Jenny, sa fiancée...

— Ma fiancée... celle que je dois épouser... mon oncle !...

— Épouser ?...

— Oui... et rien au monde ne m'en empêchera !...

— C'est ce que nous verrons ! »

Et sur ces paroles, les premières qui indiquaient la résolution de s'opposer à ce mariage, M. Dean Forsyth, quittant la salle, prit l'escalier de la tour, dont il referma la porte avec fracas.

Et, de fait, malgré son oncle, Francis Gordon était bien décidé à retourner comme d'habitude dans la famille Hudelson. Mais, à l'exemple de M. Dean Forsyth, si le docteur allait lui interdire sa porte... si M. Hudelson s'opposait à ce mariage ?... Et ne pouvait-on tout craindre de ces deux ennemis maintenant aveuglés par une jalousie réciproque, une haine d'inventeurs, la pire de toutes ?...

Ce jour-là, que de peine Francis Gordon eut à cacher sa tristesse, lorsqu'il se retrouva en présence de Mrs Hudelson et de ses deux filles. Il ne voulut rien dire de la scène qu'il venait d'avoir avec son oncle. À quoi bon accroître les inquiétudes de la famille... N'était-il pas résolu à ne point tenir compte des injonctions de son oncle ?... S'il fallait se passer de son consentement, il s'en passerait... Il était libre après tout, et pourvu que le docteur n'en vînt point à un refus... Ce que pouvait faire Francis, malgré son oncle, Jenny ne pouvait le faire malgré son père !...

C'est alors que Loo eut l'idée d'une démarche personnelle près de M. Dean Forsyth ! Voyez-vous cette fillette de quinze ans s'essayant à ce métier de conciliatrice, se disant qu'elle réussirait là où les autres avaient échoué... Mais, ne point oublier que c'était une jeune miss américaine, et que les jeunes misses de la grande République ne doutent de rien. Elles jouissent d'une franche liberté, elles vont, elles viennent, comme il leur plaît, elles raisonnent et déraisonnent même à leur convenance. Aussi, le lendemain, sans prévenir ni sa mère ni sa sœur, la fillette partit de son pied léger, habituée à sortir seule d'ailleurs, et Mrs Hudelson put croire qu'elle se rendait à l'église.

Miss Loo ne se rendait point à l'église où elle eût peut-être mieux fait d'aller en somme, et elle arriva à la maison de M. Dean Forsyth.

Francis Gordon ne s'y trouvait pas, et ce fut la bonne Mitz qui reçut la fillette.

Dès qu'elle connut le motif de sa visite, cette vieille servante, pleine de raison, lui dit :

« Chère miss Loo, cela part d'un bien bon cœur, mais croyez-moi, votre démarche n'aboutirait pas... Mon maître est fou... positivement fou... et toute ma crainte est que votre père le devienne aussi, car alors le malheur serait complet...

— Vous ne me conseillez pas de voir M. Forsyth ?... reprit Loo en insistant.

— Non... ce serait inutile... il refuserait de vous recevoir... ou s'il vous recevait, qui sait s'il ne se laisserait pas aller à vous dire des choses qui amèneraient une rupture définitive ?...

— Il me semble pourtant, bonne Mitz, que je parviendrais à le prendre par les sentiments... et lorsque je lui dirais en riant, en gazouillant : Voyons, monsieur Forsyth, est-ce que tout cela ne va pas finir ?... Est-ce qu'il est permis de se fâcher pour un malheureux bolide ?... Est-ce que vous irez jusqu'à faire le malheur de votre neveu, de ma sœur... notre malheur à tous...

— Non, chère miss Loo, répondit la vieille servante. Je le connais, vous n'obtiendrez rien... Il a la tête trop montée... il est fou, je vous le répète, et écoutez-moi, puisque moi, je n'ai pu en avoir raison, vous perdriez votre temps et vos démarches... Ne cherchez donc pas à voir M. Forsyth... Je craindrais quelque éclat qui rendrait la situation plus difficile encore, et peut-être le mariage impossible...

— Mais que faire... que faire?... s'écriait la fillette en joignant les mains.

— Attendre, ma chère miss Loo. Il n'y a plus que quelques jours de patience!... Non... suivez mon conseil... il est bon... Rentrez chez vous, mais en passant, une petite prière à Saint-Andrew, et demandez au bon Dieu d'arranger les choses... Je suis sûre qu'il vous écoutera!...»

Et là-dessus, la vieille servante embrassa la fillette sur ses deux fraîches joues, et la reconduisit jusqu'à la porte.

Loo suivit le conseil de Mitz, mais, d'abord, comme elle passait devant le magasin de sa couturière, elle s'assura que sa robe serait prête au jour indiqué... et elle était charmante cette robe. Puis, Loo entra dans l'église, et pria Dieu «d'arranger les choses», dût-il pour cela envoyer à chacun des deux rivaux un nouveau bolide, plus précieux, plus extraordinaire, dont il leur assurerait la découverte, et qui ne leur ferait pas regretter l'ancien, cause de tant de misères!

IX

Dans lequel s'écoulent quelques-uns des jours qui précèdent le mariage, et où se fait une constatation aussi certaine qu'inattendue.

Six jours encore, pas tout à fait une semaine, et le 31 mai, date fixée pour le mariage de Francis Gordon et de Jenny Hudelson, serait arrivé.

«Pourvu qu'il ne survienne rien d'ici là!», se répétait sans cesse la vieille Mitz.

Et, en effet, si la situation ne se modifiait pas, du moins importait-il qu'aucun incident ne vînt la rendre pire. D'ailleurs pouvait-il entrer dans l'esprit d'un être raisonnable que cette question de bolide pût empêcher ou retarder l'union des deux jeunes fiancés? À supposer même que M. Dean Forsyth et le docteur Hudelson ne voulussent point se trouver en face l'un de l'autre pendant la cérémonie, eh bien! on se passerait d'eux. Après tout, leur présence n'était pas indispensable, du moment qu'ils auraient donné leur consentement. L'essentiel, c'était que ce consentement ne fût point refusé... au moins par le docteur, car, si Francis Gordon n'était que le neveu de son oncle, Jenny, elle, était la fille de son père, et n'aurait pu se marier contre sa volonté.

C'est pourquoi, si Mitz se disait : «Pourvu qu'il n'arrive rien d'ici là?...» Loo, plus confiante, se répétait vingt fois par jour :

« Je ne vois vraiment pas ce qui pourrait arriver ! »

Même raisonnement que tenait Francis Gordon, bien que sa confiance n'égalât point celle de sa future petite belle-sœur :

« M. Hudelson et mon oncle ont pris une attitude déplorable l'un vis-à-vis de l'autre... mais je n'imagine guère ce qui viendrait envenimer leur querelle... Le maudit bolide est découvert... qu'il l'ait été par celui-ci ou par celui-là, il ne s'en émeut guère !... Il poursuit régulièrement sa marche à travers l'espace et, sans doute, il la continuera indéfiniment dans ces conditions... La réclamation de mon oncle et de M. Hudelson est connue, classée, et ils ne sauraient faire davantage, et, comme tout s'apaise avec le temps, leur rivalité finira par s'apaiser aussi, lorsque mon mariage avec ma chère Jenny aura lié intimement les deux familles !... N'importe, je voudrais être plus vieux de six jours ! »

Voilà ! il y a ainsi des circonstances où l'on sauterait volontiers du 26 au 31 mai, et, en somme, qu'est-ce qu'une semaine sur les trois mille que comprend la vie moyenne de l'homme ! Mais, cette suppression, il n'est pas en son pouvoir de la faire, et Francis Gordon dut se résigner à vivre les cent quarante-quatre heures qui le séparaient encore du jour nuptial.

C'était vrai, d'ailleurs, ce qu'il disait du météore. Le temps ne cessait d'être au beau, et jamais le ciel de Whaston n'avait été si serein. Quelques brumes matinales et vespérales qui se dissipaient après le lever et le coucher du soleil. Pas une vapeur ne troublait la pureté de l'atmosphère. Le bolide apparaissait régulièrement, se levant et se couchant à la même place, comme font les étoiles, il est vrai, sans cette avance de quatre minutes que constitue les trois cent soixante-six jours de l'année sidérale. Non, il marchait avec l'exactitude d'un parfait chronomètre. Aussi, à Whaston, comme dans tous les lieux où il était visible, que de lorgnettes guettaient son apparition et le suivaient dans sa course rapide ! Sa lumineuse chevelure resplendissait au milieu des nuits sans lune, et mille objectifs le saisissaient à son passage.

Faut-il ajouter que MM. Forsyth et Hudelson le dévoraient des yeux, qu'ils tendaient les bras comme pour le happer, qu'ils l'aspiraient à pleins poumons! Certes, mieux eût valu qu'il se dérobât à leurs regards derrière une épaisse couche de nuages! Sa vue ne pouvait que les exciter davantage l'un contre l'autre. Aussi Mitz, lorsqu'elle se mettait à la fenêtre avant de gagner son lit, le menaçait-elle du poing... Vaine menace, le météore continuait à dessiner son tracé lumineux sur le firmament pointillé d'étoiles.

Il convient de le mentionner, d'ailleurs, le bolide avait un véritable succès, et dans toutes les villes au-dessus desquelles il circulait, la nuit venue, il était salué par les acclamations du public, surtout à Whaston. Des milliers de regards guettaient l'endroit de l'horizon où il allait paraître, et ne le quittaient qu'un moment de sa disparition derrière l'horizon opposé. Il semblait vraiment qu'il appartînt plus particulièrement à cette charmante cité virginienne, pour cette raison que l'on devait à deux de ses plus honorables citoyens d'avoir pour la première fois signalé sa présence dans la troupe céleste des astéroïdes.

Et, ce qu'il faut également dire, c'est que la cité s'était divisée en deux camps : ceux qui tenaient pour Dean Forsyth, ceux qui tenaient pour le docteur Hudelson. Il y avait des journaux qui soutenaient le premier avec violence, des journaux qui prenaient le parti du second avec fureur. Or, il est à remarquer que si le météore, comme il semblait d'après les communications faites aux observatoires de Pittsburg et de Cincinnati, avait été découvert par les deux observateurs whastoniens le même jour, ou plutôt la même nuit, à la même heure, à la même minute, à la même seconde, cette question de priorité ne devait pas se poser. Cependant, ni le *Morning Whaston*, ni l'*Evening Whaston*, ni le *Standard Whaston* ne voulaient en démordre. Du haut de la tour, du haut du donjon, la querelle descendait jusque dans les bureaux de rédaction, et il était à prévoir des complications graves. On annonçait déjà que des meetings allaient se réunir dans lesquels l'affaire serait discutée, et avec quelle intempérance de langage, on s'en doute, étant donné l'impétueux caractère des citoyens de la libre Amérique. Et, s'en tiendrait-on aux paroles ?... Ne passerait-on pas aux actes ?... Les deux partis n'en viendraient-ils pas aux mains ?... Les bowies-kniffes ne sortiraient-ils pas des poches, et les revolvers ne partiraient-ils pas tout seuls ?...

Aussi, avec quelle inquiétude Mrs Hudelson et Jenny voyaient chaque jour s'accroître cette effervescence ! En vain. Loo voulait rassurer sa mère, en vain Francis voulait rassurer sa fiancée... Ils savaient bien que les deux rivaux se montaient de plus en plus, qu'ils subissaient ces impardonnables surexcitations. On rapportait les propos, faux ou vrais, échappés à M. Dean Forsyth, les paroles véritables ou fausses, prononcées par M. Hudelson... Et si celui-ci descendait de son donjon pour haranguer ses partisans dans le meeting Hudelsonnien, si celui-là descendait de sa tour pour haranguer ses partisans du meeting Forsythien, les deux foules ne se soulèveraient-elles pas ? Ne s'en suivrait-il pas une effroyable lutte qui ensanglanterait les rues de cette cité jusque là si paisible ?...

C'est dans ces circonstances que se produisit un coup de foudre dont l'éclat retentit, on peut le dire, dans le monde entier.

Était-ce donc le bolide qui venait de faire explosion, une explosion qu'auraient répercutée les multiples échos de la voûte céleste ?...

Non, qu'on se rassure à cet égard. Il s'agit simplement d'une nouvelle que le télégraphe, le téléphone, répandirent avec leur rapidité électrique à travers toutes les républiques et tous les royaumes de l'Ancien et du Nouveau Monde. Et si jamais information météorolique allait être accueillie avec une prodigieuse stupéfaction, ce fut bien celle-ci dont les plus incrédules durent accepter la parfaite exactitude.

Et ladite information ne venait point du donjon de M. Hudelson, ni de la tour de M. Dean Forsyth, ni même de l'observatoire de Pittsburg ou de l'observatoire de Cincinnati. Non ! c'était à l'observatoire de Boston, qu'une si inattendue découverte avait été faite dans la nuit du 26 au 27 mai, et on ne saurait s'étonner de son retentissement.

Tout d'abord, nombre de gens ne voulurent point l'admettre. Pour les uns, c'était une erreur qui ne tarderait pas à être reconnue, pour les autres, une mystification que des farceurs étaient bien capables d'avoir imaginée !

Cependant, les savants de l'observatoire de Boston passaient pour être des hommes graves, qui ne se fussent pas prêtés à une plaisanterie de ce genre. À supposer même que cette prétendue découverte eût pris naissance dans le cerveau folâtre des élèves astronomes de ce grand établissement national, désireux de «se payer la tête de l'Univers», ainsi que le dit une feuille satirique de Washington, le directeur, pénétré des devoirs de sa haute fonction, ne l'eût pas laissé passer, ou tout au moins l'eût démentie dans les vingt-quatre heures...

Or, il n'en fut rien, et il y eut lieu de reconnaître le bien-fondé de l'information.

Voici du reste, la note que reçurent les principales cités des États-Unis, et, on en conviendra, jamais les fils télégraphiques n'avaient transmis une dépêche à la fois plus véridique et plus invraisemblable.

La note que, le jour même, publièrent les mille journaux de l'Union, disait :

«Le bolide signalé à l'attention des observatoires de Cincinnati et de Pittsburg par deux honorables citoyens de la ville de Whaston, État de Virginie, et dont la translation autour du globe terrestre s'accomplit jusqu'ici avec une régularité parfaite, vient d'être examiné, étudié au point de vue de sa composition spéciale.

«De cet examen, de cette observation, de cette étude, il ressort l'indication suivante :

«Les rayons émanés de ce bolide ont été soumis à l'analyse spectrale et la disposition de leurs raies a permis d'en reconnaître avec la dernière évidence la composition.

«Son noyau qu'entoure sa chevelure lumineuse, et d'où partent les rayons observés, n'est point de nature gazeuse, mais de nature solide. Il n'est pas en fer natif comme le sont la plupart des aérolithes, ni formé de péridot, ce silicate magnésien qui renferme de petits globules pierreux.

«Ce bolide est en or, en or pur, et si l'on ne peut l'évaluer à sa véritable valeur, c'est que dans les conditions où il se présente, et vu l'éloignement, il n'est pas possible de mesurer les dimensions de son noyau.»

Telle était la note qui fut portée à la connaissance du monde entier. Quel effet elle produisit, il est plus facile de l'imaginer que de le décrire. Un globe d'or circulait autour de la terre et à moins de cinquante kilomètres de sa surface... Une masse du précieux métal dont la valeur ne pouvait être que de plusieurs milliards !... Un globe lumineux soit par lui-même, soit par l'échauffement dû à sa vitesse au milieu des couches atmosphériques !...

Et ce qui fut bientôt certitude, c'est que les chimistes de Boston n'avaient point fait erreur, et, dès que leurs confrères des autres pays eurent soumis les rayons du bolide à l'analyse, ils reconnurent que ces rayons ne pouvaient parvenir que d'un noyau d'or porté à une température insuffisante d'ailleurs pour en provoquer la fluidité.

Et, en ce qui concerne Whaston, c'était à cette ville que revenait l'honneur d'une telle découverte, et plus particulièrement aux deux citoyens, célèbres désormais, qui avaient nom Dean Forsyth et Sydney Hudelson !

Hélas ! une telle nouvelle n'allait point calmer leur rivalité, rapprocher les amis d'autrefois, rendre moins tendue la situation des deux familles. Au contraire, ils n'en seraient que plus acharnés à réclamer la priorité de leur extraordinaire découverte !...

Décidément, le Créateur n'avait guère exaucé les vœux de la fillette. Ce n'était point un nouveau bolide qu'il avait envoyé à l'oncle de Francis Gordon, au père de Jenny Hudelson, et ce serait avec plus de violence qu'ils se disputeraient ce globe d'or dont la trajectoire passait au zénith de Whaston !

X

Où l'on voit Mrs Arcadia Walker attendre, à son tour, non sans une vive impatience, Seth Stanfort et ce qui s'en suit.

Ce matin-là, le juge Proth était à sa fenêtre, tandis que sa servante Kate allait et venait dans la chambre. Il regardait, et soyez-en sûr, il ne s'inquiétait guère de voir si le bolide passait au-dessus de Whaston. Ce phénomène n'était point pour l'intéresser autrement. Non, il parcourait du regard la place de la Constitution sur laquelle s'ouvrait la porte de sa paisible demeure.

Mais ce qui n'excitait pas l'intérêt de M. Proth semblait peut-être à Kate de quelque importance, et, deux ou trois fois déjà, en s'arrêtant devant son maître, elle lui avait dit ce qu'elle répéta une quatrième :

« Ainsi, Monsieur, il serait en or ?...

— Il paraît, répondit le juge.

— Cela n'a point l'air de vous produire grand effet, Monsieur ?...

— Comme vous voyez, Kate !

— Et cependant, s'il est en or, il doit valoir des millions...

— Des millions et des milliards, Kate... Oui... ce sont des milliards qui se promènent au-dessus de notre tête, mais un peu trop loin pour que l'on puisse les saisir au vol...

— C'est dommage !...

— Qui sait, Kate ?...

— Songez-y, Monsieur, il n'y aurait plus de malheureux sur la terre...

— Il y en aurait tout autant, Kate...

— Cependant, Monsieur...

— Cela demanderait trop d'explications... Et, d'abord, Kate, vous figurez-vous ce que c'est, un milliard ?...

— Assez vaguement, Monsieur...

— C'est mille fois un million...

— Tant que cela ?...

— Oui, Kate, et, vous vivriez cent ans, que, depuis le jour de votre naissance jusqu'à l'heure de votre mort, vous n'auriez pas eu le temps de compter un milliard...

— Est-il possible, Monsieur ?...

— C'est même certain ! »

La servante demeura comme anéantie à cette pensée qu'un siècle ne suffirait pas à compter un milliard !... Puis, elle reprit son balai, son plumeau, et se remit à l'ouvrage. Mais, de minute en minute, elle s'arrêtait, et venait contempler le ciel.

Temps magnifique, toujours, et propice aux observations astronomiques.

Assurément – instinctivement aussi – Kate regardait cette voûte céleste, vers laquelle toute la population de Whaston dirigeait ses regards. Le météore l'attirait comme l'aimant attire le fer. Il advint, pourtant, que Kate abaissa les siens vers notre humble terre, en montrant à son maître un groupe de deux personnes qui se tenaient à l'entrée d'Exter-street :

« Voyez donc, Monsieur, dit-elle... Ces deux dames qui attendent là...

— Eh bien, Kate... je les vois...

— Ne reconnaissez-vous pas l'une d'elles... La plus grande... celle qui paraît trépigner d'impatience...

— Elle trépigne, en effet, Kate... Mais... quelle est cette dame, je ne sais...

— Eh, Monsieur, celle qui est venue se marier devant vous... il y a deux mois... sans descendre de cheval... et son futur mari non plus...

— Miss Arcadia Walker ?... demanda M. John Proth.

— Oui... la digne épouse de M. Seth Stanfort.

— C'est bien elle, en effet, déclara le juge.

— Et que vient faire ici cette dame ? reprit Kate.

— Cela, je l'ignore, répondit M. Proth.

— Il n'est pas probable, Monsieur, qu'elle ait de nouveau besoin de vos offices ?...

— Ce n'est pas probable», déclara le juge et, après avoir refermé la fenêtre, il descendit à son parterre où les fleurs réclamaient ses soins.

La vieille servante n'avait point fait erreur. C'était bien Mrs Arcadia Stanfort qui, ce jour-là, dès cette heure matinale, se trouvait à Whaston avec Bertha, sa femme de chambre. Et toutes deux allaient et venaient d'un pas impatient, en jetant de longs regards sur toute l'étendue d'Exter-street.

Dix coups sonnaient en ce moment à l'horloge municipale. Il semblait que Mrs Arcadia les ait comptés.

«Et il n'est pas encore là ! s'écria-t-elle.

— M. Stanfort ne peut-il avoir oublié le jour du rendez-vous ?... dit Bertha.

— Oublié !... répéta la jeune femme. Le jour où nous nous sommes mariés devant le juge, M. Stanfort ne l'avait pas oublié... et, celui-ci, il ne l'oubliera pas davantage !

— Alors, prenez patience, Madame...

— Patience... patience !... tu en parles à ton aise, Bertha !...

— Peut-être, après tout, reprit la femme de chambre, M. Stanfort a-t-il réfléchi...

— Réfléchi ?...

— Oui... de manière à ne point donner suite à vos projets...

— Ce qui a été décidé s'exécutera déclara Mrs Stanfort d'une voix ferme, et l'heure n'est plus aux réflexions... La situation n'aurait pu se prolonger plus longtemps... sans s'aggraver encore !... J'ai mes papiers en règle, n'est-il pas vrai ?...

— Assurément, Madame.

— Ceux de M. Stanfort le sont également ?...

— Il n'y manque plus que la signature du juge, répondit Bertha.

— Et, la seconde fois, elle sera aussi valable que la première», ajouta Mrs Arcadia Stanfort.

Puis, elle fit quelques pas, remontant vers Exter-street, et sa femme de chambre la suivit.

«Tu n'aperçois pas M. Stanfort?... demanda-t-elle d'un ton plus impatient.

— Non, Madame, mais peut-être M. Stanfort n'arrivera-t-il pas par la gare de Wilcox...

— Cependant, s'il vient de Richmond...

— Depuis quinze jours que vous vous êtes quittés, Madame, je n'ai point aperçu M. Stanfort... et qui sait s'il ne viendra pas à Whaston par l'autre gare...»

Et sur cette observation de Bertha, Mrs Stanfort se retourna du côté de la place.

«Non!... personne encore... personne!... répétait-elle. Me faire attendre... après ce qui a été convenu entre nous!... C'est bien aujourd'hui le 27 mai?

— Oui, Madame.

— Et il va être dix heures et demie?...

— Dans cinq minutes...

— Eh bien... que M. Stanfort ne se figure pas qu'il lassera ma patience!... J'attendrai toute la journée, s'il le faut, et je ne sortirai pas de Whaston avant que mistress Seth Stanfort ne soit redevenue miss Arcadia Walker!»

Assurément, et ainsi qu'ils l'avaient fait deux mois avant, les gens d'hôtels de la place de la Constitution auraient pu remarquer les allées et venues de cette jeune femme, comme ils avaient remarqué les impatiences du cavalier qui l'attendait pour la conduire devant le magistrat. Peut-être même eussent-ils été plus intrigués que la première fois en voyant cette extraordinaire agitation de Mrs Stanfort. Et à quelles hypothèses ne se seraient-ils pas arrêtés?... Mais, ce jour-là, tous, hommes, femmes, enfants, songeaient à bien autre chose... une chose à laquelle, dans tout Whaston en ce moment, Mrs Stanfort était sans doute la seule à ne point penser. À peine vingt-quatre heures avaient-elles passé depuis que la grande nouvelle fut portée à la connaissance des deux mondes. Et, on le répète, il semblait qu'elle intéressât plus particulièrement cette aimable cité de Whaston. Ses habitants ne s'occupaient que du merveilleux météore, de son passage régulier au-dessus de leur ville. Les groupes, réunis sur la place de la Constitution, les gens de service à la porte des hôtels ne s'inquiétaient guère de la présence de Mrs Arcadia Stanfort. Mais, s'ils attendaient impatiemment l'arrivée du bolide, ce n'était pas avec une moindre impatience qu'elle attendait l'arrivée de son mari. Nous ne savons si, comme on le prétend, la Lune exerce une influence sur les cervelles humaines, et, en effet, n'y a-t-il pas des lunatiques?... En tout cas, il est permis d'affirmer que notre globe comptait alors un nombre prodigieux de «météoriques», qui en oubliaient le boire et le manger à la pensée qu'un bloc valant des milliards se promenait au-dessus de leur tête. Ah! s'ils avaient pu l'arrêter dans sa marche, le mettre en leur caisse... mais le moyen!...

Après leur mariage contracté devant le juge de paix de Whaston, M. et Mrs Stanfort, venus chacun de son côté, étaient repartis ensemble pour Richmond. C'est là que se trouvait une installation, préparée depuis quelques semaines, et à laquelle leur fortune permettait de donner tout le confort moderne. Un hôtel dans le plus beau et le plus riche quartier de la capitale virginienne, ayant vue sur la James river, dont la cité occupe la rive gauche. Ils y séjournèrent une semaine seulement, le temps de faire quelques visites à plusieurs membres de la famille de Mrs Arcadia Stanfort, qui comptaient parmi les plus notables.

Peut-être, si on eut été au début de la saison froide, le digne couple se fût-il installé dans son hôtel pour tout l'hiver. Or, les premiers bourgeons d'avril s'arrondissaient déjà sur les branches, et rien de charmant comme un voyage de noces lorsque les premiers effluves du printemps se font sentir. D'ailleurs, M. Seth Stanfort et Arcadia Walker, avant d'être mariés, étaient d'humeur voyageuse, et, assurément, cette ardeur ne s'éteindrait point après. On peut même dire que leur union s'était accomplie au cours d'un voyage, ce voyage à Whaston. Pourvus de leurs permis délivrés par les greffiers de Boston et de Trenton en bonne et due forme, il leur avait paru original de venir se marier dans les conditions assez excentriques que l'on connaît.

Donc, huit jours après leur retour à Richmond, et avec cette rapidité toute américaine qui distingue les citoyens des États-Unis, ils avaient sinon visité, du moins parcouru les vastes plaines, franchi les montagnes des territoires voisins de la Caroline.

Que s'était-il passé pendant cette pérégrination à grande vitesse en railroads, en steamboats, en mail-coaches ? Les deux époux s'étaient-ils toujours bien entendus sur les routes ?... Leur accord avait-il été parfait en toute occasion, en toutes choses ?... Aucune dissonance ne s'était-elle mêlée à cette musique du cœur qui se chante aux premiers jours du mariage ?... Quelques vapeurs avaient-elles assombri cette lune de miel ?...

Ce qui est certain, c'est que trois semaines après le départ de Richmond, M. et Mrs Stanfort étaient revenus à leur hôtel, où ils ne reprirent pas la vie commune. Puis, à huit jours de là, Monsieur s'en allait d'un côté, Madame de l'autre... Et s'ils communiquèrent entre eux, ce fut seulement par lettres et dépêches... Et ce n'est pas par le téléphone, où les voix s'échangent, se rencontrent, s'entendent sur le fil électrique, mais par le télégraphe, de fonctionnement moins intime, que se donna le rendez-vous à la date du 27 mai, dix heures du matin, dans la ville de Whaston.

Or, il était dix heures et demie, et seule Mrs Arcadia Stanfort se trouvait à ce rendez-vous. Et, alors de répéter :

« Tu ne le vois pas, Bertha ?...

— Non, Madame.

— Est-ce qu'il aurait changé d'idées ?...

— Ce serait bien possible !...

— Mais je n'ai pas changé, moi !... répondit Mrs Stanfort d'un ton résolu et je n'en changerai pas ! »

En ce moment, des cris s'élevèrent à l'extrémité de la place. Les passants se précipitèrent de ce côté. Le rassemblement fut bientôt considérable, plusieurs centaines de personnes accourues par les rues voisines. Et même, en entendant ces voix tumultueuses, M. John Proth abandonna son jardin, et, accompagné de sa fidèle Kate, vint se placer sur le seuil de la maison.

«Le voilà... Le voilà...»

Tels étaient les mots que se jetaient les curieux sur la place, comme aux fenêtres des hôtels qui la bordaient.

Et ces mots : «Le voilà! Le voilà!» répondaient si bien au désir de Mrs Arcadia Stanfort qu'il lui échappa de s'écrier :

«Enfin... Enfin!...

— Mais non, Madame, dut lui dire sa femme de chambre, ce n'est pas encore Monsieur!»

Et, en effet, pourquoi la foule l'eût-elle acclamé de la sorte, et à quel propos eût-elle attendu son arrivée?...

D'ailleurs, toutes les têtes se levaient vers le ciel, tous les bras se tendaient vers la partie nord-est de l'horizon, tous les regards se dirigeaient de ce côté...

Était-ce donc le fameux bolide qui faisait son apparition quotidienne au-dessus de la cité?... Et les habitant venaient-ils de se réunir sur la place pour le saluer au passage?...

Non... l'heure n'était pas venue à laquelle les lunettes de la tour et du donjon pouvaient saisir le météore au bord de l'horizon... Il ne s'y montrerait pas avant la tombée de la nuit... On le sait, la durée de sa translation autour du globe terrestre égalait la durée de la rotation sur son axe. Or, comme son apparition, signalée par M. Dean Forsyth et le docteur Hudelson, s'était faite pour la première fois après le coucher du soleil, il n'était visible qu'à ce moment, et il l'eût été chaque soir si les vapeurs ne l'avaient pas souvent, trop souvent, dérobé à la vue des mortels!...

À qui donc, dès lors, s'adressaient les acclamations de la foule?...

«Madame... C'est un ballon... dit Bertha. Regardez... Le voilà qui dépasse la flèche de Saint-Andrew...

— Un ballon», dit également M. John Proth, en réponse à Kate, qui voulait absolument que ce fut le météore tant admiré.

L'aérostat s'élevait lentement vers les hautes zones. Il était monté par le célèbre Walter Vragg, accompagné d'un aide. Cette ascension avait pour but de reconnaître le bolide dans des conditions plus favorables, et devait se prolonger jusqu'au soir. Comme le vent soufflait du sud-ouest, l'aérostat serait porté au devant de lui, et, n'atteignît-il que cinq à six mille mètres, Walter Vragg parviendrait peut-être à distinguer le noyau d'or au milieu de son étincelante auréole... Et qui sait si l'on n'en connaîtrait pas enfin les dimensions ?...

Il va de soi que, cette ascension décidée, M. Dean Forsyth, au grand effroi de la vieille Mitz, avait demandé «à en être» comme disent les Français, également le docteur, au non moins grand effroi de Mrs Hudelson. Mais l'aéronaute n'avait qu'une seule place à offrir dans sa nacelle. De là, grosse dispute épistolaire entre les deux rivaux qui excipaient de prétentions égales. Finalement l'un et l'autre durent être éconduits au profit de l'aide de Walter Vragg, qui lui serait infiniment plus utile.

À la hauteur de deux mille pieds, environ, le ballon, saisi par un courant plus accentué à cette altitude, fut rapidement entraîné vers le nord, au-devant du bolide, et il disparut, salué des derniers hurrahs de la foule.

Quelles que fussent ses préoccupations, ses impatiences, Mrs Stanfort l'avait suivi des yeux, et n'avait point aperçu M. Seth Stanfort, qui s'approchait d'un pas tranquille et mesuré.

Lorsqu'il fut près d'elle :

«Me voici, madame, dit-il en s'inclinant.

— Bien, monsieur», se contenta de dire tout d'abord Mrs Arcadia Stanfort, tandis que, par discrétion, Bertha se tenait en arrière.

Et ces demandes et réponses furent échangées sur un ton dont la sécheresse ne fit que s'accroître à mesure qu'elles se produisaient.

«Enfin... Vous voilà... master Seth ?...

— Je n'aurais eu garde de manquer à ce rendez-vous, mistress Arcadia.

— Je suis ici depuis une heure...

— Je regrette de vous avoir fait attendre, mais il faut s'en prendre au rail-road. Par suite d'un accident de machine, notre train a eu du retard...

— J'ai cru, un instant, que vous étiez parti dans ce ballon qui vient de disparaître...

— Quoi ! Sans avoir réglé notre situation réciproque !... »

Mrs Stanfort réprima le sourire qui s'ébauchait sur ses lèvres, et M. Seth Stanfort redevint aussi sérieux qu'elle.

« Il ne s'agit pas de plaisanter, reprit la jeune femme, et, puisque, lors de notre dernière rencontre, nous nous sommes dit tout ce que nous avions à nous dire...

— Il ne serait pas inutile, cependant, de le répéter, déclara M. Seth Stanfort, afin qu'il ne puisse y avoir aucun malentendu...

— Soit, et, d'ailleurs, je crois que cette suprême conversation peut tenir dans une seule phrase...

— Laquelle ?...

— C'est que nous faisons sagement en renonçant à la vie commune...

— Je le pense comme vous...

— Et que nous ne sommes point faits l'un pour l'autre.

— À ce sujet, je partage entièrement votre avis.

— Assurément, monsieur Stanfort, je suis loin de méconnaître vos qualités...

— Les vôtres, je les apprécie à leur juste valeur, je vous pric de ne point en douter...

— Nous avons cru avoir les mêmes goûts, et je ne nie pas que nous les ayons, du moins en ce qui concerne les voyages...

— Et encore, mistress Arcadia, n'avons-nous jamais pu être d'accord sur la direction à prendre...

— En effet, quand je désirais aller vers le sud, votre désir était d'aller vers le nord...

— Et lorsque mon intention était d'aller vers l'ouest, la vôtre était d'aller vers l'est !...

— Je répète donc ce que je vous disais en commençant, monsieur : c'est que nous ne sommes pas faits l'un pour l'autre...

— Je ne puis que vous répéter, madame, comme au début de cet entretien, que je partage entièrement votre avis.

— Voyez-vous, monsieur, j'ai toujours été dans la vie une indépendante, n'ayant jamais eu d'autre loi que ma seule volonté...

— Je m'en suis aperçu, madame, et, au surplus, cette éducation est celle que reçoivent nombre de jeunes Américaines... Je ne la blâme ni l'approuve, mais enfin... elle ne prépare pas heureusement aux obligations du mariage...

— J'en conviens, répondit Mrs Arcadia, et, pourtant, mon caractère, peut être un peu trop résolu, j'en conviens..., eût sans doute réfléchi... par exemple, si l'occasion m'eût été offerte de reconnaître un grand service rendu par vous...

— Et cette occasion ne s'est point présentée, je dois l'avouer, déclara M. Seth Stanfort. Bien que vous soyez fort aventureuse, bien que vous aimiez à braver le danger, je n'ai pas eu à exposer ma vie pour sauver la vôtre... ce que je n'eusse pas, le cas échéant, hésité à faire !... Vous n'en doutez pas, je pense...

— Je n'en doute pas, monsieur. »

On doit mentionner que ce dialogue tournait légèrement à l'aigre-doux, après avoir commencé par être quelque peu ironique.

Aux appellations plus familières de Seth et d'Arcadia, puis de Stanfort et de mistress Stanfort, avaient succédé les secs monsieur, madame, dont la plupart des époux ont perdu la mémoire, même après deux mois de mariage. Il était donc opportun, à tous égards, que cette conversation prît fin, et, ce qui n'étonnera personne, ce fut la jeune femme qui se décida à en brusquer le dénouement.

« Vous savez, monsieur, dit-elle, pourquoi nous sommes convenus de nous retrouver à Whaston ?...

— Je ne l'ai pas plus oublié que vous ne l'avez oublié vous-même, madame.

— Vous êtes muni des certificats nécessaires ?... monsieur.

— Et ils sont non moins réguliers que ceux dont vous êtes pourvue, madame...

— Le divorce une fois prononcé, monsieur, chacun de nous va reprendre la libre existence qui convient à son caractère, monsieur. Mais il est possible, il est probable que nous nous rencontrerons encore sur les chemins de ce bas monde...

— Et je serai heureux de vous y saluer, madame, avec tout le respect qui vous est dû...

« — Je n'attendrais pas moins de votre politesse, monsieur...

— Politesse toute naturelle, madame, car il me serait impossible d'oublier que j'ai eu l'honneur d'être pendant deux mois le mari de Mrs Arcadia Walker...

— Et moi, monsieur, que pendant ces deux mêmes mois j'ai eu l'avantage d'être la femme de Seth Stanfort ! »

Il faut l'avouer, tous deux auraient bien pu se dispenser d'échanger ces paroles aigres-douces, qui ne devaient en rien modifier leur situation : ils avaient cru se convenir, ils ne se convenaient plus... Ils étaient d'accord pour le divorce, dénouement qui devient plus commun que dans les pièces d'autrefois le mariage du jeune premier et de la jeune première... Les démarches, si rapides dans cette grande République de l'Union où les unions deviennent si éphémères, avaient abouti. D'ailleurs, il semble que rien ne soit aussi facile en cet étonnant pays d'Amérique. On se délie plus aisément encore qu'on ne s'est lié. En de certains États, au Dakota, dans l'Oklahoma, il suffit d'y établir un domicile fictif, et il n'est pas indispensable de se présenter en personne pour divorcer. Des agences spéciales se chargent de tout, réunir des témoins, procurer des prête-noms. Elles ont des rabatteurs à cet effet, et il y a des cités célèbres sous ce rapport.

Mais M. Seth Stanfort et Mrs Arcadia Walker n'avaient pas eu besoin de courir à de telles distances, ce qu'ils eussent assurément fait, s'il l'eût fallu. Non, c'est à Richmond, en pleine Virginie, où se trouvait leur réel domicile, que les démarches s'étaient effectuées, que les formalités avaient été remplies. Et, pour tout dire, s'ils avaient décidé de venir rompre à Whaston les liens d'un mariage qui y fut conclu deux mois auparavant, c'est qu'ils voulaient se séparer à l'endroit même où ils s'étaient unis, et dans une ville où ils n'étaient connus de personne. Étant donnée la façon cavalière avec laquelle ils avaient procédé à cet acte considéré en général comme le plus important de la vie, ils pouvaient même se demander s'ils seraient reconnus du magistrat devant lequel ils venaient se présenter de nouveau.

Et, entre M. et Mrs Stanfort, la conversation s'acheva en ces termes :

«Maintenant, monsieur, il ne nous reste plus qu'une chose à faire...

— Je le pense, madame.

— C'est de nous rendre à la maison de M. Proth, monsieur...

— Je vous suis, madame.»

Et, tous les deux, non l'un derrière l'autre, mais sur la même ligne, à la distance de trois pas, ils se dirigèrent vers la justice de paix.

La vieille Kate se tenait sur sa porte, et, voyant le couple s'avancer :

«Monsieur Proth... monsieur Proth!... alla-t-elle dire à son maître, ils viennent...

— Qui ?...

— M. Et Mrs Stanfort...

— Eux ?... et que me veulent-ils ?...

— Nous ne tarderons pas à le savoir !» répondit Kate.

En effet, les visiteurs n'avaient eu qu'une centaine de pas à faire pour atteindre la maison du juge, et la servante les fit entrer dans la cour, en disant :

«Vous désirez parler à M. le juge Proth ?...

— À lui-même, répondit Mrs Stanfort.

— Pour affaire ?...

— Pour affaire...» répondit M. Stanfort.

Et, sur cette réponse, au lieu d'introduire M. et Mrs Stanfort au salon, puisqu'il ne s'agissait pas d'une simple visite, Kate leur ouvrit la porte du cabinet de M. Proth.

Tous deux s'assirent sans prononcer une parole, en attendant l'arrivée du magistrat qui parut quelques instants après.

M. Proth, toujours aimable et prévenant, dit combien il était heureux de revoir M. et Mrs Stanfort et leur demanda en quoi, cette fois, ses services pouvaient leur être utiles.

« Monsieur le juge, répondit Mrs Stanfort, lorsque nous avons paru devant vous, il y a deux mois, c'était pour contracter mariage.

— Et je me félicite, déclara, M. Proth, d'avoir pu faire votre connaissance à cette occasion...

— Aujourd'hui, monsieur le juge, ajouta M. Stanfort, nous nous présentons devant vous pour divorcer...»

Bien qu'il ne s'attendît point à cette proposition, le juge Proth, en homme d'expérience, comprit que ce n'était pas le moment de tenter une conciliation, et, ne se démontant pas, il dit :

«Et je ne me féliciterai pas moins d'avoir renouvelé connaissance à cette occasion.»

Les deux comparants s'inclinèrent.

«Vous avez des actes en règles?... demanda le magistrat.

— Voici les miens, dit Mrs Stanfort.

— Voici les miens», dit M. Stanfort.

M. Proth prit les papiers, les examina, s'assura qu'ils étaient en bonne et due forme, et se contenta de répondre :

«Je vais rédiger l'acte de divorce.»

Et, sans qu'il fut nécessaire de faire venir des témoins, toutes les formalités ayant été remplies, M. Proth libella de sa plus belle écriture l'acte qui allait rompre le lien conjugal entre ces deux époux.

Cela terminé, il se leva, et présentant une plume à Mrs Stanfort :

«Il n'y a plus qu'à signer», dit-il.

Et, sans faire une observation, sans qu'une hésitation fît trembler sa main, Mrs Stanfort signa de son nom d'Arcadia Walker.

Ce fut avec le même sang-froid que M. Seth Stanfort signa après elle.

Puis, après s'être inclinés l'un devant l'autre, et avoir salué le magistrat, M. Stanfort et miss Arcadia Walker sortirent du cabinet, regagnèrent la rue et se séparèrent, l'un montant vers le faubourg de Wilcox, l'autre prenant une direction opposée.

Et, lorsqu'ils eurent disparu, M. Proth qui les avait accompagnés jusqu'au seuil, dit à la vieille servante :

«Savez-vous, Kate, ce que je devrais mettre sur mon enseigne?...

— Non, Monsieur...

— Ici, on se marie à cheval et on divorce à pied!»

Et, philosophiquement, M. Proth retourna ratisser les allées de son jardin.

XI

Dans lequel les calculateurs ont une belle occasion de se livrer à des calculs, bien faits pour surexciter la convoitise de la race humaine.

«Ce qui est certain, s'écria en se levant ce matin-là, dès sept heures, l'impatiente Loo, c'est que nous n'avons plus que quatre jours à passer pour être au 31 mai, et le 31 mai, Francis Gordon et Jenny Hudelson à onze heure trente sortiront de Saint-Andrew mari et femme.»

Elle avait raison, la fillette, mais il importait qu'il ne se produisît aucune éventualité grave avant cette date.

Or, la situation du docteur Hudelson et de M. Dean Forsyth ne tendait point à se modifier. L'échange de lettres, à propos de l'ascension de l'aéronaute Walter Vragg n'avait pu que l'aggraver. Personne ne doutait que si les deux rivaux se rencontraient dans la rue, il en résulterait une explication des plus vives, et quelles en seraient les suites ?...

Très heureusement, l'un ne quittait guère sa tour, l'autre ne quittait guère son donjon. Assurément, ils cherchaient plutôt à s'éviter qu'à se trouver l'un en face de l'autre. Mais enfin, il faut toujours compter avec le hasard, lequel a l'habitude d'embrouiller et non de débrouiller les choses. Toutefois, plus que quatre jours ! ainsi que l'avait dit miss Loo, et c'était aussi la réflexion que sa mère, sa sœur et son beau-frère futur faisaient avec elle.

D'ailleurs il ne semblait pas qu'une complication quelconque pût provenir de ce bolide. Indifférent et superbe, il poursuivait sa marche régulière du nord-est au sud-ouest, sans montrer une tendance à dévier de cette direction, du moins jusqu'alors. Il se transportait à toute vitesse au-dessus des millions de têtes humaines levées vers lui. Jamais souverain ou souveraine des plus grands empires, jamais cantatrice des plus grands théâtres, jamais ballerine des plus grandes scènes, n'avaient été ni tant ni si passionnément lorgnés ! Quand se produit une simple éclipse de soleil, on n'ignore pas que les verres (fumés)[1] se débitent à un chiffre énorme. Que l'on estime donc ce qu'il se vendit de lorgnettes, de lunettes, de télescopes, dans tous les pays d'où le météore était visible ! Et qui sait si parmi ces inlassables observateurs, il ne s'en trouvait pas qui espéraient compléter la découverte, soit en calculant avec plus de précision les éléments du nouvel astéroïde, soit en déterminant les dimensions de son noyau d'or ?...

Et n'était-ce pas à cette étude que s'appliquaient obstinément M. Dean Forsyth et le docteur Hudelson ?... En attendant que la priorité de la découverte fût attribuée à l'un ou à l'autre, en cas qu'elle pût l'être, quel avantage pour celui des deux rivaux qui arracherait au météore quelques-uns de ses secrets ! La question du bolide, n'était-ce pas la question du jour, la question du monde entier ?... Et si les Gaulois ne craignaient rien, si ce n'est que le ciel ne leur tombât sur la tête, les terrestres, cette fois, n'avaient qu'un désir : c'est que le bolide, arrêté dans sa course, cédant à l'attraction, enrichît le globe des milliards de sa valeur intrinsèque !

« Mon maître, répétait sans cesse Omicron, pendant ses longues factions nocturnes sur la terrasse de la tour, on ne parviendra donc pas à calculer le poids de notre bolide ?... »

---

1. Mot laissé en blanc. Michel Verne met – à tort – « optiques ».

120

Il en était arrivé à dire « notre », bien que cet adjectif possessif sonnât mal aux oreilles de M. Dean Forsyth.

« On le calculera, répondit celui-ci.

— Et on en connaîtra la valeur ?...

— On la connaîtra.

— Ah ! si cela venait de nous ?...

— De nous, Omicron, ou de tout autre, peu importe, pourvu que ce ne soit pas de cet intrigant d'Hudelson !

— Lui !... jamais ! », déclara Omicron, qui prenait bonne moitié des passions de son maître.

Or, on n'en doute pas, le docteur tenait le même raisonnement, et n'entendait pas que son rival prît sur lui un tel avantage.

Il est vrai, le public ne demandait, lui, qu'à savoir ce que valait le bolide en dollars, en guinées ou en francs, et il lui importait peu que cela vînt de l'un ou de l'autre, pourvu que sa curiosité eût enfin complète satisfaction.

Il n'était encore question que de curiosité, non de convoitise, puisque, vraisemblablement, personne ne mettrait jamais la main sur l'insaisissable trésor.

Et, vraiment, n'était-ce pas une trop grosse tentation pour l'humanité, n'était-ce pas la mettre à une trop rude épreuve que de promener à la hauteur d'une trentaine de kilomètres, ces millions aériens ?...

Quoiqu'il en soit, pour qui a étudié les cervelles terrestres, il ne peut paraître surprenant que depuis le jour où la nouvelle se répandit que le bolide était en or, elles fussent à l'envers. Et que de calculs se firent pour en établir le prix ! Mais la base manquait toujours, puisque les dimensions du noyau restaient à déterminer. Au milieu de son rayonnement superbe, les instruments les plus perfectionnés n'avaient encore pu déterminer ni sa configuration ni sa grosseur. Qu'il fût uniquement composé du plus précieux des métaux, cette question ne faisait plus doute, et cela pouvait être constaté chaque jour par l'analyse spectrale de ses rayons. En tout cas, ce qui n'était pas moins douteux, c'est qu'il devait avoir une valeur telle que ne pouvaient rêver les plus ambitieuses imaginations.

En effet, ce jour même, le *Standard* de Whaston publia la note suivante :

«En admettant que le noyau du bolide Forsyth-Hudelson – ce journal le désignait sous ce double nom – se présente sous la forme d'une sphère mesurant seulement dix mètres de diamètre, s'il était en fer, il pèserait trois mille sept cent soixante-treize tonnes. Mais, par cela même qu'il est en or pur, il en pèse dix mille quatre-vingt-trois, et vaudrait trente et un milliards de francs.»

On le voit, le *Standard*, très lancé dans le courant moderne, prenait le système décimal pour base de ses calculs. D'ailleurs, à cette époque, déjà, les États-Unis commençaient à s'y rallier, et, au lieu du dollar et du yard, se servaient du franc et du mètre.

Ainsi, rien qu'avec un volume si réduit, le bolide aurait eu pareille valeur !...

« Est-ce possible, mon maître ? demanda Omicron, tout ahuri, après avoir lu la note en question.

— Non seulement c'est possible, c'est certain, répondit M. Dean Forsyth, et il a suffi d'employer pour tenir ce volume la formule : $V = \dfrac{\pi D^3}{6}$

Omicron ne put que s'incliner devant cette formule, absolument inintelligible pour lui, et se borna à répéter, d'une voix tremblante d'émotion :

«Trente et un milliards... trente et un milliards !...

— Oui, affirma M. Dean Forsyth, mais ce qui est odieux, c'est que ce journal persiste à accoler mon nom à celui de cet individu.»

Très probablement, le docteur faisait de son côté la même réflexion.

Pour miss Loo, lorsqu'elle lut la note du *Standard*, une si dédaigneuse moue se dessina sur ses lèvres roses que les trente et un milliards en eussent été profondément humiliés !

On sait que le tempérament des journalistes, même dans le Nouveau Monde, les porte instinctivement à surenchérir. Quand l'un a dit deux, l'autre dit trois, simple effet de la concurrence en matière de presse. Aussi ne sera-t-on pas surpris si, le soir même, l'*Evening Whaston* répondait en ces termes, prenant fait et cause pour le donjon, tandis que le *Morning Whaston* tenait pour la tour, alors que le *Standard* réunissait les deux noms d'Hudelson et de Forsyth sous la même rubrique :

«Nous ne savons pas pourquoi le *Standard* s'est montré si modeste dans l'évaluation de la grosseur du bolide... Est-il donc de dimensions si restreintes que le diamètre de son noyau ne mesure pas plus de dix mètres?... Est-il convenable de ne faire qu'un caillou d'un astéroïde qui peut être une énorme roche?... Est-ce que les savants les plus autorisés n'ont pas attribué quatre cent vingt mètres au bolide du 14 mars 1863 et cinq cents mètres au bolide du 14 mai 1864?... Eh bien, nous irons plus loin que le *Standard*, et, ne fût-ce que pour rester dans des hypothèses acceptables, c'est un diamètre de cent mètres que nous attribuerons au noyau du bolide Hudelson. Or, en se basant sur ce chiffre, on trouve que son poids, s'il était en fer, serait de trois millions sept cent soixante-treize mille cinq cent quatre-vingt-cinq tonnes... Mais puisqu'il est en or, son poids serait de dix millions quatre-vingt-trois mille quatre cent quatre-vingt-huit tonnes, et il vaudrait trente et un trillion deux cent soixante milliards de francs...

— Et encore, on néglige les centimes», déclara plaisamment le *Punch*, lorsqu'il cita ces chiffres prodigieux que l'imagination a quelque peine à concevoir.

Ainsi donc, qu'on adoptât, soit les mesures du *Standard*, soit les mesures de l'*Evening Whaston*, c'étaient des milliards de milliards qui, toutes les vingt-quatre heures, passaient au-dessus de la cité virginienne et des autres situées sous la trajectoire.

Et lorsque la vieille Kate eut lu la note en question, elle ôta ses lunettes et dit à M. Proth :

«Ça ne m'apprend rien, tous ces gros chiffres, mon maître. J'aimerais mieux savoir combien cela ferait par personne, si ce trésor tombait sur la terre, en le partageant entre tous les humains...

— Vraiment, Kate... Mais ce n'est qu'une division des plus simples, et en admettant qu'il y ait quinze cents millions d'habitants sur la terre...

— Tant que cela, Monsieur ?...

— Oui, vous et moi, nous ne sommes guère que d'infimes quinze cent millionièmes !...

— Et chacun aurait ?...

— Attendez, Kate, répondit M. Proth, car il y a tant de zéros au diviseur et au dividende que je craindrais de m'embrouiller et de vous faire du tort... »

Et, après avoir établi son opération sur un coin du journal :

« Cela donnerait environ vingt et un mille francs par tête...

— Vingt et un mille francs ! s'écria la vieille servante en joignant les mains... Alors tout le monde serait riche...

— Je crois plutôt que tout le monde serait pauvre ! répliqua le juge Proth, car l'or déprécié n'aurait plus de valeur... Il vaudrait ce que valent les grains de sable de nos grèves !... Et, en admettant même qu'il eût conservé sa valeur, combien auraient bu, mangé, dissipé vite leurs vingt et un mille francs, et seraient redevenus aussi misérables qu'avant ! »

Et là-dessus, le philosophe Proth, ayant dit leur fait à ces absurdes partageux de l'Ancien comme du Nouveau-Monde, revint arroser ses fleurs.

Peut-être remarquera-t-on que M. John Proth était plus souvent dans son jardin que devant le bureau de la justice de paix... Eh bien, cela prouvait en faveur des citoyens de Whaston, peu processifs de leur nature. Il arrivait, de temps à autre, cependant, que M. Proth eût à juger quelque cause grave où il apportait autant de bon sens que d'équité. Et même, avant quarante-huit heures, une affaire de ce genre allait provoquer grosse affluence du public dans son prétoire.

Cependant, le temps continuait à se maintenir au beau fixe. Il semblait que l'aiguille des baromètres anéroïdes fût définitivement immobilisée au sept cent soixante-dix-septième millimètre du cadran. Jour et nuit, le ciel restait dégagé. À peine quelques brumes, le matin ou le soir, qui se dissipaient presque aussitôt le lever et le coucher du soleil. De là, grande facilité pour les observations astronomiques et grande satisfaction pour les observateurs.

Toutefois, ce qui aurait comblé leurs désirs, c'eût été d'obtenir avec précision les dimensions du noyau astéroïdal. Mais il était très difficile d'en relever les contours au milieu de son irradiante chevelure. Les meilleurs instruments ne parvenaient point à l'apercevoir.

Il est vrai, vers deux heures quarante-cinq de la nuit du 27 au 28 mai, M. Dean Forsyth crut pouvoir constater que ce noyau affectait la forme sphérique. L'irradiation s'était un instant affaiblie, laissant paraître aux regards un globe d'or d'un intense éclat.

« Omicron ?...

— Mon maître...

— Regarde... regarde ! »

Omicron vint appuyer son œil droit contre l'oculaire de la lunette...

« Est-ce que tu ne vois pas... reprit M. Forsyth.

— Le noyau ?...

— Oui... il me semble...

— À moi aussi !...

— Ah !... nous le tenons, cette fois !...

— Bon... s'écria Omicron, on ne le distingue plus déjà !...

— N'importe ! je l'ai vu !... J'aurai eu cette chance... Dès demain, à la première heure, une dépêche à l'observatoire de Pittsburg pour lui faire part de ma découverte... et ce misérable docteur ne pourra pas me la disputer cette fois ! »

Nul doute que la masse solide du météore n'eût apparu aux regards de M. Forsyth et, pendant quelques secondes encore, aux regards d'Omicron, sous la forme d'une sphère. Mais, pourquoi le docteur Hudelson ne l'aurait-il pas aperçue, puisque, cette nuit-là, il avait suivi la marche du bolide depuis son apparition sur l'horizon du nord-est jusqu'à sa disparition derrière l'horizon du sud-ouest... Si cela était, la pensée lui viendrait également d'envoyer une dépêche à l'observatoire de Cincinnati... D'où, nouvelle occasion de mettre les deux rivaux aux prises !

Ce danger fut évité, fort heureusement, pour ce motif que ladite observation venait d'être faite, d'autre part, dans des conditions qui présentaient une garantie absolue. Et d'ailleurs, comme on va le voir, d'après la note de l'un des plus célèbres observatoires des États-Unis, celui de Washington, le noyau du bolide n'avait pas été seulement aperçu dans cette nuit mémorable, mais sa figure et ses dimensions venaient d'être relevées avec une extrême précision.

Et, en effet, dès le lendemain, voici ce que M. Dean Forsyth et M. Stanley Hudelson purent lire dans les feuilles du matin, et ce que lut aussi le public des deux Mondes :

«Cette nuit, à deux heures quarante-cinq, une observation astronomique, faite dans des conditions exceptionnellement favorables à l'observatoire de Washington, a permis de mesurer le noyau du nouveau bolide. Il est de forme sphérique et la longueur de son axe est exactement de cinquante mètres.»

Donc, si ce n'était pas cent mètres, comme l'avait supposé l'*Evening Whaston*, ce n'était pas non plus dix mètres, comme l'avait supposé le *Standard*. La vérité se trouvait juste entre les deux hypothèses et aurait suffi à satisfaire les plus ambitieuses convoitises, si le météore n'eut été destiné à tracer une éternelle trajectoire au-dessus du globe terrestre.

En effet, les calculateurs se mirent à la besogne et ce ne fut pas long. La formule : $V = \dfrac{\pi D^3}{6}$, V étant le volume de la sphère, π 3,1416, D le diamètre, fut des milliers de fois mise en œuvre par des mains impatientes, et le calcul donna les résultats suivants :

Diamètre de la sphère du bolide : cinquante mètres ;

Poids de ladite sphère en or : douze cent soixante mille quatre cent trente-six tonnes ;

Valeur de ladite sphère : trois mille neuf cent sept milliards de francs.

On le voit, si ce n'étaient pas les trente et un mille milliards, indiqués par l'*Evening Whaston*, qu'aurait valu un noyau de cent mètres, le bolide valait encore une somme énorme. Et si elle eut été partagée entre les quinze cents millions d'habitants de la terre, chacun aurait eu pour sa part deux mille six cent cinquante francs.

Et, lorsque M. Dean Forsyth eut connaissance de la valeur de son bolide :

« C'est moi qui l'ai découvert ! s'écria-t-il, et non ce coquin du donjon... C'est à moi qu'il appartient, et s'il venait à tomber sur terre, je serais riche de trois mille neuf cent sept milliards ! »

De son côté, d'ailleurs, le docteur Hudelson se répétait, en tendant un bras menaçant vers la tour :

« C'est mon bien... c'est ma chose, c'est l'héritage de mes enfants qui gravite à travers l'espace, et, s'il venait à choir sur notre globe, il m'appartiendrait en toute propriété, et je serais trois mille neuf cent sept fois milliardaire ! »

Il est certain que les Vanderbilt, les Astor, les Rockfeller, les Pierpont Morgan, les Mackay, les Gould et autres financiers américains sans parler des Rothschild, ne seraient plus que de petits rentiers auprès du docteur Hudelson et de M. Dean Forsyth !...

Voilà où en étaient ces deux rivaux, et, s'ils n'en deviennent pas fous, c'est qu'ils auront eu la tête solide !

Francis Gordon et Mrs Hudelson voyaient clairement où allaient, l'un son oncle, l'autre son mari. Mais que pouvaient-ils, et comment les retenir sur une pente si glissante ?... Impossible de causer posément avec eux, si ce n'est de ce malencontreux bolide, non !... pas même du mariage projeté, bien qu'il dût être célébré dans trois jours. Ils semblaient l'avoir oublié ou plutôt, ils ne songeaient qu'à leur rivalité, si déplorablement entretenue d'ailleurs par les journaux de la ville. Une nouvelle question de Capulets et de Montaigus divisait Whaston la Virginienne, comme autrefois l'italienne Vérone. Les articles de ces feuilles, d'ordinaire assez paisibles, devenaient enragés, et de regrettables personnalités s'y mêlaient quotidiennement. Elles risquaient d'amener sur le terrain des gens habituellement plus sociables ; et il ne manquerait plus que le sang ne vînt à couler pour ce météore qui provoquait si violemment et si mal à propos les passions humaines !

En tout cas, ce que devaient surtout craindre les deux familles, c'était que M. Hudelson et M. Forsyth ne voulussent se disputer leur bolide les armes à la main, et que cette question se réglât dans un duel à l'américaine. Et ce qu'il y avait de pis, c'est que ce damné *Punch*, avec ses épigrammes, avec ses caricatures, ne cessait de les exciter. Et l'on peut vraiment dire que si ce n'était pas de l'huile ou plutôt du pétrole, puisque cela se passe en Amérique, que ce journal jetait sur le feu, c'était du moins du sel, le sel de ses plaisanteries quotidiennes, et le feu n'en crépitait que davantage !

« Ah ! si j'étais la maîtresse, s'écria ce jour-là miss Loo.

— Et que feriez-vous, petite sœur ?... demanda Francis Gordon.

— Ce que je ferais... Oh ! c'est bien simple, j'enverrais cette affreuse boule d'or se promener si loin, si loin que les meilleures lunettes ne pourraient plus l'apercevoir ! »

En effet, la disparition du bolide eût peut-être rendu le calme aux esprits si profondément troublés et qui sait si la jalousie de M. Forsyth et du docteur Hudelson n'aurait pas pris fin lorsque le météore serait hors de vue, et même parti pour ne jamais revenir !...

Mais il ne semblait pas qu'elle dût se produire, cette éventualité. Le bolide serait là, dans trois jours, à la date du mariage, et il y serait encore après, et il y serait toujours, puisque sa gravitation s'effectuait avec une régularité constante sur son imperturbable orbite !

Alors courut à travers le public une idée des plus simples – aussi simple d'ailleurs qu'irréalisable sans doute. Ce fut non seulement à Whaston, mais dans tous les endroits du globe au-dessus desquels se décrivait la trajectoire, et les villes, bourgades, villages, hameaux, etc., étaient nombreux sur ce grand cercle de la terre. Cette idée, la voici dans toute sa simplicité.

« Pourquoi, par un moyen quelconque, ne pas provoquer la chute de cette boule qui valait tant de mille milliards ?... Cette chute ne s'effectuerait-elle pas tout naturellement et si on parvenait à interrompre, ne fût-ce qu'un instant, son mouvement de translation autour du globe ?... »

Oui... à n'en pas douter. Mais ce moyen quelconque, qui l'imaginerait ?.. Ne dépasserait-il pas les bornes des forces humaines ?... Pouvait-on créer un obstacle contre lequel viendrait buter ce bolide, un obstacle assez fort pour résister à une vitesse de vingt-huit kilomètres à la minute ?...

Et alors, les inventeurs de se lancer à corps perdu dans la mêlée des inventions ! Et les journaux d'enregistrer leurs propositions les plus abracadabrantes !... Pourquoi ne construirait-on pas un canon aussi puissant que celui qui, il y a quelques années, envoya un boulet dans la Lune ou celui qui, plus tard, tenta par un recul formidable de modifier l'inclinaison de l'axe terrestre ?... Oui, mais ces deux expériences, on ne l'ignorait pas, n'étaient que de pure fantaisie, due à la plume d'un écrivain français un peu trop imaginatif peut-être ![2]

«Ah ! fit observer un jour le *Whaston Standard*, si ce météore eut été en fer, comme la plupart de ceux qui traversent l'espace, on aurait sans doute pu l'attirer en construisant un électro-aimant d'une puissance prodigieuse !»

Oui, mais il n'était point en fer, il était en or, et l'aimant est sans effet sur ce précieux métal !... D'ailleurs, s'il avait été en fer, et bien qu'alors il eût pesé quatre cent soixante et onze mille tonnes, pourquoi tant d'efforts pour en prendre possession. N'y a-t-il pas assez de ce métal, puisque la terre n'est en somme qu'un énorme carbure de fer ?...

Cependant, les esprit se montaient de plus en plus, les cervelles travaillaient au point de se vaporiser par ébullition, les cerveaux au point de se fendre en tous sens !... Ainsi se comporte la convoitise des créatures humaines ! Elles ne pouvaient se faire à cette pensée que tant de milliards leur échapperaient... Du moment que le météore, venu on ne sait d'où... peut-être du centre d'attraction d'une des autres planètes dont il était sorti pour entrer dans celui de l'attraction terrestre, appartenait à la Terre !... On ne le laisserait pas l'abandonner maintenant pour qu'il allât graviter autour des autres astres inférieurs ou supérieurs du monde solaire !...

---

2. Allusion aux deux romans de Jules Verne : *De la Terre à la Lune* et *Sans dessus dessous*.

Alors le *Punch* de se livrer à des plaisanteries vraiment déplacées sur ce sujet si sérieux :

« Oui ! il faut se défier de ces planètes qui ne demanderaient pas mieux que d'accaparer notre bolide, car il est à nous... bien à nous, et nous ne permettrons pas qu'on nous le vole !... Il faut surtout se défier de ce gros Jupiter qui serait capable de le saisir au passage, et plus encore peut-être, de cette intrigante de Vénus qui s'en ferait faire des bijoux, l'éternelle coquette !... Il est vrai, Mercure n'est pas loin, et en sa qualité de dieu des voleurs !... Enfin, défions-nous... défions-nous ! »

Telle était, depuis le jour où la valeur du bolide avait été connue du monde entier, l'état général de la mentalité humaine ! Et, pendant ce temps, il continuait à paraître régulièrement sur l'horizon du nord-est pour disparaître derrière l'horizon du sud-ouest pour tous les pays situés au-dessous de son orbite ! Et, à ne parler que de la cité virginienne, deux hommes s'y rencontraient, deux anciens amis, qui, en attendant de se dévorer l'un l'autre, continuaient à le dévorer des yeux, tandis qu'il projetait ses rayons d'or à travers l'espace.

Peut-être, à Whaston, n'existait-il alors que deux êtres à ne point le suivre des yeux pendant ces belles nuits si pures, et, pour cette raison qu'ils n'avaient d'yeux que pour se regarder sans cesse. C'était Francis Gordon, c'était Jenny Hudelson. Loo elle-même ne s'arrêtait pas de lui envoyer des regards courroucés.

Si, chaque soir, Mrs Hudelson, de son côté, la bonne Mitz, du sien, se disaient que le météore allait peut-être reprendre sa course vagabonde à travers le firmament, si elles espéraient qu'il n'en serait plus jamais question que de n'importe quelle étoile filante, elles se voyaient déçues dans leur espoir. Elle revenait, la grosse boule milliardaire, elle revenait pour surexciter les appétits d'une humanité enfiévrée de désirs, elle revenait pour le grand malheur de ces deux honnêtes familles, qui se sentaient toujours à la veille d'une catastrophe !...

En tout cas, on arrivait à la veille du mariage projeté. Le 28 mai venait de faire place au 29 mai dans le calendrier de cette année-là... Il ne s'en fallait plus que de quarante-huit heures, que les cloches de Saint-Andrew, sonnant à toute volée, appelleraient les fiancés à la cérémonie nuptiale.

Or, ce jour même, dans l'après-midi, le bureau télégraphique de Whaston, comme aussi nombre d'autres de l'Ancien et du Nouveau Continent, reçurent la dépêche suivante, expédiée de l'observatoire de Boston :

«Une plus exacte observation a permis de constater que la vitesse du bolide sur sa trajectoire diminue progressivement. D'où, cette conclusion qu'il finira par tomber sur la terre.»

XII

Dans lequel on verra le juge Proth tenter entre deux de ses justiciables une conciliation qui ne peut aboutir, et, suivant son habitude, retourner à son jardin.

« Il tombera... il tombera ! »
Si jamais ce verbe de la première conjugaison fut employé, c'est bien à partir de ce jour, et avec autant d'émotion dans l'Ancien que dans le Nouveau Monde ! L'article « il » ne semblait plus servir qu'à désigner le météore ! Quant au verbe, toute la question était de savoir, après avoir été tant employé au futur, quand on l'emploierait au présent, en attendant d'être employé au passé.

Certes, le délire des foules avait paru poussé à ses extrêmes limites, lorsque l'observatoire de Boston déclara que le bolide, ou pour mieux préciser, son noyau, était d'or pur. Et pourtant, ce délire n'aurait pu être comparé à celui qui se manifesta sur tous les points de la terre, lorsqu'il fut acquis qu'il tomberait, ce prodigieux bolide. Quant à mettre en doute cette information télégraphiée en Europe, en Asie, en Amérique, câblée en Afrique, en Australie, en Nouvelle-Zélande, en Océanie, personne ne s'en avisa. D'ailleurs, les astronomes bostoniens, d'une juste et universelle renommée, eussent été incapables de commettre une telle erreur qui eût compromis la légitime célébrité de leur observatoire.

Aussi, le *New York Herald* eut-il toute raison de dire dans un numéro supplémentaire, qui fut répandu à profusion :

« Du moment que l'observatoire de Boston s'est prononcé à cet égard, la question est jugée, et il est certain que le bolide tombera un jour ou l'autre. »

Évidemment, les lois de l'attraction terrestre ne pouvaient pas ne point avoir leur plein effet en cette occurrence. On ne tarda pas à reconnaître dans le monde astronomique que la diminution de vitesse du bolide était très sensible, et peut-être l'eût-on constatée plus tôt, si les intéressés y avaient pris garde. Mais, comme on dit, « ils avaient la tête ailleurs » ! Mesurer la grosseur du noyau, évaluer sa valeur, c'est à cela qu'ils s'étaient attachés au début, bien que les milliards du météore ne pussent être l'objet que d'une envie purement platonique. On ne pensait même pas que le bolide, puisqu'il se mouvait sur une trajectoire parfaitement déterminée, parfaitement régulière, dût jamais abandonner les zones atmosphériques pour tomber sur la terre ! Non, cent fois non !...

Et, de fait, M. Dean Forsyth et le docteur Hudelson n'avaient jamais entrevu pareille éventualité. S'ils se montraient si ardents à réclamer la priorité de la découverte, ce n'était pas à cause de la valeur de ce bolide, de ses milliards dont personne n'aurait ni un sou, ni un penny, ni un cent ; c'était, on ne saurait trop le répéter, l'un pour attacher le nom de Forsyth, l'autre pour attacher le nom d'Hudelson à ce grand fait astronomique, en un mot pour la gloire, pour l'honneur.

Du reste, les deux rivaux devaient observer eux-mêmes que la vitesse du bolide allait diminuer d'une manière très visible. Son apparition à l'horizon du nord-est était retardée, comme aussi sa disparition à l'horizon du sud-ouest. Il mettait donc plus de temps à passer entre ces deux points au-dessus de Whaston. Peut-être M. Forsyth et M. Hudelson regrettèrent-ils de n'avoir pas été les premiers à faire cette constatation dont la priorité, cette fois, appartenait bien à l'observatoire de Boston.

Deux questions se posèrent alors, qui vinrent à l'esprit des gens les moins habitués à réfléchir, aux enfants comme aux hommes, aux femmes comme aux enfants... C'était un gigantesque point d'interrogation qui se dressait en face du monde :

Quand le bolide tombera-t-il ?...

Où le bolide tombera-t-il ?...

La réponse à la seconde question se faisait d'elle-même, sous la condition que le bolide continuât de suivre imperturbablement sa trajectoire du nord-est au sud-ouest. Sa chute ne pourrait donc se faire que sur un des points situés sous ladite trajectoire. Ceci était l'évidence même.

En ce qui concerne la première question, la réponse n'était pas aussi facile. Mais, des savants ne s'embarrassent pas de si peu, et de nouvelles, de fréquentes observations portant sur la décroissance de la vitesse, permettraient assurément de la résoudre.

Eh bien, dans ces circonstances, est-ce qu'une troisième question ne viendrait pas se joindre aux deux autres, et peut-être la moins aisée, puisque tant d'intérêts seraient en jeu, et sur un terrain où allaient se rencontrer, se heurter les passions de notre pauvre humanité ?...

À qui appartiendrait le bolide, après sa chute ?... À qui les trillions du noyau qu'entourait sa lumineuse auréole ?... Celle-ci aurait disparu, sans doute, et on n'avait que faire d'impalpables rayons qui ne peuvent se monnayer !... Mais le noyau serait là... et lui, on ne serait pas embarrassé de le convertir en monnaie sonnante, en espèces trébuchantes !...

Oui, à qui appartiendrait-il ?

« À moi ! s'écria Dean Forsyth, lorsque cette question se présenta à son esprit, à moi qui, le premier, ai signalé sa présence sur un horizon terrestre, sur l'horizon de Whaston !...

— À moi ! s'écria également le docteur Hudelson, puisque je suis l'auteur de sa découverte ! »

Et, dès cette nuit du 29 au 30 mai, tous deux le suivirent avec une plus furieuse attention encore, en hommes prêts à tout risquer pour lui mettre la main dessus !... Et il était toujours à une trentaine de kilomètres d'eux, enchaîné par l'attraction terrestre qui finirait par l'emporter… Et, pendant cette belle nuit, il brillait d'un éclat si vif, qu'étoiles et planètes pâlissaient devant son intense lumière, même Jupiter et Vénus, même Wega de la Lyre ou Altaïr de l'Aigle, même Sirius de la constellation du Grand Chien qui règne sans conteste sur tous les astres du firmament !

Eh bien, cet incomparable spectacle, les regards ne seraient plus en mesure de le contempler après la chute plus ou moins prochaine du météore ! N'importe ! on préférait qu'il tombât… On voulait l'avoir, et c'était bien la convoitise générale, excepté peut-être chez quelques philosophes revenus des vanités de ce bas monde, ou quelques sages parmi lesquels prenait place M. John Proth, l'honorable magistrat de Whaston.

Dans cette matinée du 30, il y eut grande affluence dans la salle d'audience de la Justice de Paix. Les trois quarts des curieux n'y avaient pu pénétrer. Refoulés dans la cour qui précède la maison, ce n'était pas sans envie qu'ils songeaient à ceux qui, plus favorisés, ou tout bonnement plus hâtifs, s'entassaient au prétoire. Assurément, si M. Proth ne s'y fut opposé avec toute l'énergie que peut mettre un amateur à protéger ses fleurs contre le piétinement public, ils auraient envahi le jardin. Mais il leur fut impossible d'enfoncer la porte derrière laquelle veillait la vieille Kate.

C'est que, à cette audience, étaient présents M. Dean Forsyth et M. Stanley Hudelson. Après s'être réciproquement cités devant le juge de paix pour établir leurs droits sur la priorité de la découverte du bolide et, subsidiairement, sur la propriété que cette priorité entraînait, les deux rivaux se trouvaient en face l'un de l'autre.

Ainsi, à l'extrême désespoir de Mrs Hudelson, de ses filles, de Francis Gordon et de la bonne Mitz, ce n'était pas seulement une question d'amour-propre, c'était en outre une question d'intérêt que le juge de paix aurait à régler, en admettant qu'il fût compétent en l'espèce. On le conçoit, un magistrat ne pourrait être que très embarrassé lorsqu'il aurait à se prononcer entre les deux justiciables. Aussi, fidèle à son mandat, tenterait-il de concilier les parties, et s'il y réussissait, ce n'est point exagéré de dire qu'il tiendrait le record de la conciliation dans les justices de paix d'Amérique !

Plusieurs affaires venaient d'être expédiées au commencement de cette audience, et les parties, qui étaient arrivées en se menaçant du poing, avaient quitté la salle bras dessus, bras dessous, à l'entière satisfaction de M. Proth. En serait-il ainsi des deux adversaires qui allaient se présenter devant lui ?... Il osait à peine l'espérer.

«L'affaire suivante ?... dit-il.

— Forsyth contre Hudelson, et Hudelson contre Forsyth, appela le greffier. C'était sous cette rubrique qu'elle avait été inscrite au rôle.

— Que ces Messieurs s'approchent», ajouta le juge, en se redressant sur son fauteuil.

Et chacun d'eux sortit du groupe de partisans qui lui faisait escorte. Ils étaient là, l'un près de l'autre, se toisant du regard, les yeux allumés, les mains crispées, deux canons chargés jusqu'à la gueule, et dont une étincelle suffirait à provoquer la double détonation.

«De quoi s'agit-il, Messieurs ?», demanda le juge Proth du ton d'un homme qui savait bien ce dont il s'agissait.

Ce fut M. Dean Forsyth qui prit le premier la parole, en disant :

«Je viens faire valoir mes droits...

— Et moi, les miens», répliqua aussitôt M. Hudelson en la lui coupant net.

Et, alors, commença un duo assourdissant. On peut être certain que les chanteurs n'y chantaient ni à la tierce ni à la sixte, mais contre toutes les règles de l'harmonie courante.

M. Proth intervint en frappant son bureau à coups précipités d'un couteau d'ivoire, comme fait de son archet un chef d'orchestre qui veut mettre fin à une cacophonie insupportable.

«Expliquez-vous l'un après l'autre, Messieurs, dit-il, et me conformant à l'ordre alphabétique, je donne la parole à M. Forsyth, dont le nom commence par un F préalablement à M. Hudelson, dont le nom commence par un H.»

Et qui sait si le docteur, en cette circonstance, ne regretta pas amèrement que son nom le mît à la huitième place dans l'alphabet au lieu de la sixième !...

Alors, M. Dean Forsyth, tandis que le docteur ne se contenait qu'au prix des plus grands efforts, expliqua son affaire.

Dans la nuit du 2 ou 3 avril, à onze heures trente-sept minutes vingt-deux secondes du soir, M. Dean Forsyth, en observation dans sa tour d'Elizabeth-street, avait aperçu un bolide au moment où il apparaissait sur l'horizon du nord-est. Il le suivit tout le temps qu'il fut visible et, dès le lendemain, à la première heure, il envoya un télégramme à l'observatoire de Pittsburg, pour signaler sa découverte et prendre date pour sa priorité.

Il va de soi que le docteur Hudelson, lorsque ce fut son tour de parler, donna une explication identique en ce qui concernait l'apparition du météore observé de la tour de Morris-street et la dépêche expédiée, le lendemain, à l'observatoire de Cincinnati.

Et tout cela fut dit avec une telle conviction, une telle précision que l'auditoire, muet et palpitant, semblait ne plus respirer, en attendant la réponse que le magistrat allait faire devant des prétentions si nettement établies.

« C'est bien simple », dit M. Proth, en juge habitué à manier les balances de la justice, et qui d'un seul coup d'œil reconnaît si les plateaux sont exactement à la même hauteur.

Mais ces mots « c'est bien simple » provoquèrent un certain étonnement dans l'assistance. Ils ne paraissaient point répondre à la situation... Cela ne pouvait être « aussi simple que ça » !

Toutefois, dans la bouche de M. Proth, ces quelques mots avaient une importance considérable. On n'ignorait pas la justesse de ses appréciations, la sûreté de son jugement. Aussi l'auditoire, non sans impatience, attendait-il qu'il s'expliquât.

L'attente ne fut pas longue, et voici, textuellement, en employant la force des « considérant » comme s'il s'agissait d'une sentence juridique :

« Considérant, d'une part, que M. Dean Forsyth déclare avoir découvert dans la nuit du 2 au 3 avril un bolide qui traversait l'atmosphère au-dessus de Whaston, à onze heures trente-sept minutes et vingt-deux secondes du soir.

« Considérant, d'autre part, que M. Stanley Hudelson déclare avoir signalé la présence du même bolide à la même heure, à la même minute et à la même seconde...

— Oui ! oui !... s'écrièrent les partisans du docteur, agitant frénétiquement la main.

— Non ! non !... ripostèrent les partisans de M. Forsyth en frappant le parquet du pied.

Et lorsqu'eut pris fin ce brouhaha qui ne provoqua chez M. Proth aucune marque d'impatience, il reprit en ces termes :

« Mais, considérant que toute l'affaire repose sur une question de seconde, de minute et d'heure, question que l'on peut regarder comme étant purement astronomique, et qui échappe à notre compétence purement juridique :

« Par ces motifs, nous nous déclarons incompétent en l'espèce. »

Il est certain que le magistrat ne pouvait répondre d'autre façon. Et, comme il semblait bien que ni l'un ni l'autre des adversaires ne saurait apporter une preuve absolue de ce qu'il avançait en ce qui concernait l'instant précis auquel il assurait avoir aperçu le météore, il paraissait aussi que leur réclamation devait en rester là, et qu'ils n'avaient plus qu'à s'en aller dos à dos, et, dans cette attitude, il n'y aurait point à craindre qu'ils se portassent à des actes de violence l'un envers l'autre.

Mais ni leurs partisans ni eux-mêmes n'entendaient que l'affaire finît de la sorte, et si M. Proth avait pu espérer que, faute d'obtenir une conciliation, il s'en tirerait par une déclaration d'incompétence, cet espoir ne parut point devoir se réaliser.

En effet, après l'unanime murmure qui accueillit son jugement, une voix s'éleva, et c'était celle de M. Forsyth.

« Je demande la parole, dit-il.

— Je la demande aussi, ajouta le docteur.

— Bien que je n'aie point à revenir sur ma sentence, répondit le magistrat de ce ton aimable qu'il n'abandonnait jamais, même dans les circonstances les plus graves, bien que cette question, je le répète, échappe à la compétence d'un juge de paix, j'accorde volontiers la parole à M. Dean Forsyth et au docteur Hudelson, à la condition qu'ils consentiront à ne la prendre que l'un après l'autre. »

C'était peut-être trop demander à ces deux rivaux de se céder, même sur ce point. Ils répondirent donc ensemble avec la même volubilité, avec la même véhémence de langage, celui-ci ne voulant pas être en retard d'un mot ni d'une syllabe sur celui-là.

M. Proth sentit que le plus sage serait de les laisser aller, à moins de lever l'audience, ce qui lui eût paru inconvenant pour ces deux personnages honorables après tout, et au premier rang dans la société whastonienne. Toutefois, il parvint à comprendre le sens de leur nouvelle argumentation : c'est qu'il ne s'agissait plus d'une question astronomique, mais d'une question d'intérêt, d'une revendication de propriété.

En un mot, puisque le bolide devait finir par tomber, il tomberait, et, dans ce cas, à qui appartiendrait-il ?... Serait-ce à M. Dean Forsyth... Serait-ce au docteur Hudelson ?...

« À M. Forsyth ! s'écrièrent les partisans de la tour.

— Au docteur Hudelson ! », s'écrièrent les partisans du donjon.

M. Proth, dont la bonne figure s'éclairait d'un charmant sourire de philosophe, réclama le silence d'un geste aimable, et son attitude indiquait bien qu'il n'éprouverait aucun embarras à répondre.

Le silence se rétablit, et, assurément, il n'avait pas été plus complet, ce jour du neuvième siècle avant l'ère chrétienne où le roi Salomon prononça son célèbre jugement entre les deux mères.

« Messieurs, dit-il, la première question que vous m'avez soumise était une question de priorité à propos d'une découverte astronomique... Il y avait là un honneur engagé, et qui, selon vous, ne portait pas un partage possible... Soit... Mais maintenant, c'est sur la propriété du bolide que la discussion s'engage, et, à ce sujet, si je n'ai pas les éléments nécessaires pour rendre un jugement motivé, je crois cependant pouvoir vous donner un conseil...

— Lequel ?... s'écria M. Forsyth.

— Lequel ?... s'écria M. Hudelson.

— Le voici, dit M. Proth. Dans le cas où le bolide viendrait à tomber...

— Il tombera... répétèrent à l'envi les partisans de M. Dean Forsyth.

— Il tombera, répétèrent également les partisans de M. Stanley Hudelson.

— Soit, encore, répondit le magistrat avec une condescendante politesse dont la magistrature ne donne pas toujours l'exemple, même en Amérique.

Et, avec un regard bienveillant qu'il adressa à ses deux justiciables :

— Dans ce cas, reprit-il, comme il s'agirait d'un bolide ayant une valeur de trois trillions neuf cent sept milliards, je vous engagerais à partager...

— Jamais.. jamais ! »

Ce fut ce mot si profondément négatif qui éclata de toutes parts... Jamais ni M. Forsyth ni M. Hudelson ne consentiraient à un partage !... Sans doute, cela leur eût fait près de deux trillions à chacun ; mais il n'y a pas de trillions qui tiennent devant une question d'amour-propre, même au pays des Vanderbilt, des Astor, des Gould et des Morgan... Céder, c'eût été de la part de M. Forsyth convenir que la gloire de la découverte revenait au docteur, et de la part du docteur que cette gloire revenait à M. Dean Forsyth.

Avec sa connaissance des choses humaines, M. Proth ne fut pas autrement surpris que son conseil, si sage qu'il fût, eût contre lui l'unanimité de l'assistance. Il ne se déconcerta pas, et, cette fois, comme le tumulte prit des proportions plus considérables, comme il comprit que son influence serait nulle, il se leva de son fauteuil : l'audience était terminée.

Mais voici que le silence se rétablit soudain, comme si tout l'auditoire avait ce sentiment que quelqu'un allait dire quelque chose.

C'est ce qui arriva, et ces paroles furent alors prononcées par un quelconque des auditeurs entassés dans le prétoire :

« Monsieur le juge entend-il que l'affaire soit remise à une autre date pour être jugée définitivement ?... »

C'était là un point sur lequel la curiosité publique voulait évidemment être fixée.

Le magistrat se rassit et fit cette très simple réponse :

« J'avais eu l'espoir de concilier les parties touchant la question de propriété en les amenant sur le terrain du partage... Elles s'y sont refusées...

— Et persisteront dans leur refus ! », s'écrièrent M. Dean Forsyth et M. Stanley Hudelson, qui employèrent précisément les mêmes mots dans cette réponse qui sembla sortir du pavillon d'un appareil photographique.

M. Proth, après un instant de silence, dit :

« L'affaire est remise pour qu'il soit statué sur cette question de propriété du bolide en discussion... jusqu'au jour où il sera tombé sur le sol terrestre...

— Et pourquoi attendre sa chute ? demanda M. Forsyth qui ne voulait pas de ce délai.

— Oui... Pourquoi ? », appuya le docteur, qui entendait que le différend fût réglé sans retard.

M. Proth s'était relevé de nouveau, et d'une voix dans laquelle perçait une certaine ironie, il fit la déclaration suivante :

« Parce que ce jour-là, très probablement, il se présentera un troisième intéressé qui réclamera sa part des trillions météoriques...

— Lequel ?... lequel ?... fut-il demandé de tous les coins de la salle, car l'assistance devenait de plus en plus houleuse.

— Le pays sur lequel s'effectuera la chute, et qui ne manquera pas de faire valoir ses droits, comme propriétaire du sol ! »

Ce qu'il aurait pu ajouter, ce digne magistrat, c'étaient qu'elles seraient grandes les chances que le bolide, tombant dans la mer, n'appartînt à personne et que Neptune le gardât éternellement dans la profondeur de ses abîmes...

L'auditoire était resté sous l'impression des dernières paroles prononcées par M. Proth qui avait définitivement quitté son siège. Cette possibilité qu'un troisième intéressé vînt réclamer sa part du trésor aérien devenu trésor terrestre calmeraitelle les ardeurs des deux rivaux et de leurs partisans?... Peut-être, à la réflexion, et avec le temps, car il fallait tenir compte de cette éventualité. Mais, en ce moment dans la surexcitation des esprits, on ne songea point à s'y arrêter. On ne vit que l'affaire Forsyth-Hudelson, qui, en somme, restait sans solution. Comment, le jugement remis à la chute du bolide!... Mais quand se produirait-elle? Dans un mois, dans un an, dans un siècle?... Le savait-on, et le saurait-on... Non! On aurait voulu que la justice se prononçât immédiatement entre les deux adversaires, et ce fut comme une déception peu propre à calmer les passions du public!

Aussi, lorsque tout ce monde fut dehors, deux groupes se formèrent-ils sur la place, et auxquels se joignirent les curieux qui n'avaient pu trouver place dans la salle d'audience. Et ce fut un beau tumulte, cris, provocations, menaces, et probablement voies de fait auxquelles se seraient portés ces enragés. Assurément les partisans de M. Dean Forsyth ne demandaient qu'à lyncher M. Hudelson, et les partisans de M. Hudelson s'eussent pas hésité à lyncher M. Forsyth, ce qui eût été la façon ultra-américaine de terminer l'affaire.

Très heureusement, les autorités avaient pris leurs précautions en vue d'excès non moins possibles que regrettables. De nombreux policemen gardaient la place de la Constitution. Au moment précis où les deux partis se jetaient l'un sur l'autre, ils intervinrent avec autant de résolution que d'opportunité, et séparèrent les combattants.

Mais ce qu'ils ne purent faire, ce fut d'empêcher M. Forsyth et M. Hudelson de s'avancer l'un vers l'autre. Et alors le premier de dire:

«Je vous tiens, Monsieur, pour un misérable, et soyez sûr que jamais le neveu de M. Forsyth n'épousera la fille d'un Hudelson...

— Et moi, répliqua le docteur, je vous tiens pour un malhonnête homme, et jamais la fille du docteur Hudelson n'épousera le neveu d'un Forsyth!...»

C'était le scandale redouté, c'était la rupture complète, irrémédiable, entre les deux familles...

Et, pendant ce temps, M. Proth, se promenant entre ses plates-bandes, disait à la bonne Kate :

« Tout ce que je désire, c'est que ce diable de bolide ne tombe pas dans mon jardin, où il écraserait mes fleurs ! »

XIII

Dans lequel on voit surgir le troisième réclamant dont le juge de paix Proth a prédit l'apparition, et qui entend faire valoir ses droits de propriétaire.

Mieux vaut renoncer à peindre la profonde douleur que ressentit la famille Hudelson. Elle ne fut égalée que par le désespoir auquel s'abandonna Francis Gordon. Assurément, ce digne homme n'aurait pas hésité à rompre avec son oncle, à se passer de son agrément, à braver sa colère et ses inévitables conséquences. Mais ce qu'il pouvait contre M. Dean Forsyth, il ne le pouvait pas contre M. Hudelson. Du moment que le docteur s'opposait au mariage de sa fille avec Francis Gordon, celui-ci devrait abandonner toute espérance d'épouser Jenny. En vain Mrs Hudelson essaya-t-elle d'obtenir le consentement de son mari, en vain tenta-t-elle de le faire revenir sur sa décision, ni ses supplications ni ses reproches ne purent fléchir l'entêté docteur. Loo, la petite Loo elle-même, se vit impitoyablement repoussée. Ses prières, ses cajoleries, ses larmes mêmes furent impuissantes.

« Non... non... répétait M. Hudelson, jamais aucun lien n'existera entre ma famille et la famille de l'homme qui, non content de me voler mon bolide, m'a publiquement traité de misérable ! »

Il est vrai, c'était la qualification de malhonnête homme qu'il avait lancée, lui, à la tête de M. Forsyth, et ils étaient, comme on dit, à deux de jeu.

Quant à la vieille Mitz, elle se contenta d'apostropher son maître en ces termes :

«Monsieur Forsyth, vous n'avez pas de cœur!»

En tous les cas, M. Forsyth avait des yeux, et, comme la nuit se faisait au-dessus de Whaston, il alla les appliquer successivement à l'oculaire de son télescope pour guetter l'apparition du météore et constater qu'il continuait à retarder un peu plus que la vieille.

Mais elle passerait, comme à l'habitude, d'un horizon à l'autre, la sphère d'or, et des myriades de regards purent l'apercevoir au milieu de son éclatante splendeur.

Puis, la nuit s'acheva, le soleil reparut, et, les cloches, qui devaient tinter, ce jour-là, pour le mariage de Francis Gordon et de Jenny Hudelson, demeurèrent muettes dans le clocher de Saint-Andrew.

Cependant, la vitesse du bolide diminuait graduellement suivant une loi de mécanique dont les effets allaient être déterminés avec précision par les astronomes des divers observatoires. Une des conséquences de cette diminution était que le météore se rapprochait de la terre, sur laquelle il tomberait lorsque l'attraction l'emporterait sur cette vitesse décroissante. La distance de quarante[1] kilomètres, à laquelle il se trouvait lors de son apparition, ne se chiffrait déjà plus que par une trentaine, réduite d'un quart. Aussi, comme il restait plus longtemps visible entre son lever et son coucher, cela eût permis de l'observer dans des conditions très favorables. Par malheur, les vents d'est régnaient alors, et le ciel se chargeait lourdement des vapeurs apportées de l'Atlantique. À travers l'épaisse couche des nuages, on ne percevait le passage du bolide que difficilement. D'ailleurs, conséquence du retard que subissait son mouvement de translation, ce n'était plus seulement la nuit,

---

1. Nous maintenons le chiffre erroné de «quarante», car mettre «trente» obligerait à refaire la phrase.

mais aussi le jour, à différentes heures, qu'il suivait son orbite du nord-est au sud-ouest, et les observations devenaient de moins en moins faciles. Il était constaté, d'ailleurs, que cette trajectoire n'avait éprouvé aucune modification et se maintenait imperturbablement dans sa direction première.

Du reste, la nécessité ne s'imposait plus de suivre la marche du bolide avec les télescopes ou les lunettes. D'après les relevés déjà obtenus et vérifiés avec une extrême précision, le calcul donnerait tous les résultats attendus – et avec quelle impatience ! – par la curiosité publique. Les intéressés – et quels ils étaient plus spécialement, on va le savoir – les intéressés ne tarderaient pas à être fixés sur ces deux questions :

1° Quand tombera le bolide ?...

2° Où tombera le bolide ?...

À la première, une note parue dans les journaux, et qui émanait de l'observatoire de Boston, indiqua que la chute s'effectuerait entre le 15 et le 25 juillet.

À la seconde question, les observations ne permettaient pas encore de répondre de manière à satisfaire lesdits intéressés.

Quoi qu'il en soit, le grand événement ne se produirait pas avant six semaines au plus tôt, et huit au plus tard. Tout un mois et demi s'écoulerait jusqu'au jour mémorable où le globe terrestre serait définitivement atteint par ce boulet d'or que l'Auteur de toutes choses lui avait lancé à travers l'espace.

Et, comme le disait cet irrespectueux *Punch* dans ses entrefilets ironiques : « Qu'il en soit remercié le Céleste artilleur qui nous l'a envoyé !... Aussi bien aurait-il pu viser Jupiter, Saturne, Neptune, ou n'importe quel autre astre de notre système planétaire !... Mais non, c'est notre honorée Cybèle, à laquelle il a réservé cette divine faveur, à l'antique fille du Ciel et femme de Saturne, à la Bonne Déesse qu'il a voulu faire ce cadeau princier de quatre mille milliards ! »

C'était, d'ailleurs, la possession de ces quelques trillions qui surexcitait toutes les convoitises, et, ainsi que l'avait prédit M. Proth, les prétentions des intéressés ne tardèrent pas à se faire jour contre celles des deux premiers découvreurs du bolide, et par intéressés, il faut entendre les divers États situés sous la trajectoire et sur lesquels, l'un ou l'autre, devait néces-sairement s'effectuer la chute.

Voici quels étaient ces pays, si favorisés, au-dessus des-quels se déplaçait le météore : États-Unis, Nicaragua, Costa-Rica, îles Galapagos, Terres de l'Antarctique, Indes Orientales, Afghanistan, Contrée des Khirgiz, Russie d'Europe, Norvège, Laponie, Groenland, Labrador, Nlle-Bretagne.

On le voit, d'après cette première nomenclature, l'Europe, l'Asie, l'Amérique, devaient seules figurer dans ce concours : l'Amérique par le Groenland, le Labrador, la Nouvelle-Bretagne, les États-Unis, le Nicaragua et Costa-Rica ; l'Asie par les Indes Orientales, l'Afghanistan et la Contrée des Kirghiz ; l'Europe par la Norvège et la Russie septentrionale. À la surface de l'immense Pacifique, un unique archipel voyait le bolide passer à son zénith : c'était le petit groupe des Galapagos par 92° de longitude ouest et 1,40° de latitude sud. Dans l'océan glacial antarctique, c'était au-dessus de la vaste région polaire, si peu connue encore, qu'il traçait son lumineux sillage, et dans l'océan Glacial arctique, au-dessus des terres qui avoisinent le pôle Nord.

Ce tableau montre que les intéressés étaient les Américains du Nord avec les États-Unis, les Américains du Centre avec le Nicaragua et Costa-Rica, les Anglais avec les Indes et la Nouvelle-Bretagne, les Asiatiques avec l'Afghanistan, les Russes avec le territoire des Kirghiz et la Russie septentrionale, les Danois avec le Groenland, les Norvégiens avec les îles Loffoden.

Le chiffre des prétendants s'élevait donc à sept, et, dès le début, ils parurent bien décidés à faire valoir leurs droits. Et, qu'on ne s'en étonne pas, puisque les États favorisés n'étaient rien moins que l'Amérique, l'Angleterre, la Russie, le Danemark, la Norvège et l'Afghanistan. En présence de ces puissants royaumes, M. Dean Forsyth et le docteur Hudelson pouvaient-ils espérer que leurs réclamations seraient admises ? À supposer que la priorité de la découverte fût accordée, soit à l'un, soit à l'autre, soit à tous deux, s'en suivrait-il qu'ils dussent avoir leur part du gâteau d'or ?... Il n'en était pas de ce bolide comme d'un trésor, qui appartient pour une certaine portion à celui qui l'a trouvé, et pour la plus importante, au propriétaire du champ dans lequel il est tombé. Qu'importait que M. Forsyth et M. Hudelson eussent été les premiers à signaler la présence du bolide sur l'horizon de Whaston? Est-ce qu'il n'aurait pas été aperçu tôt ou tard? Et, d'ailleurs, vu ou non, sa chute serait arrivée quand même. Ni M. Forsyth, ni le docteur, ni personne n'y auraient été pour rien.

Cette thèse fut nettement établie dans une consultation juridique que publièrent les divers journaux. Aussi que l'on juge de la colère des deux rivaux, à voir qu'on ne leur reconnaissait aucun droit sur les trillions aériens. Et qui sait si cette communauté d'infortune, de déceptions, ne serait pas de nature à réconcilier les deux familles, à rapprocher le donjon et la tour?...

Quoi qu'il en soit, s'il n'avait pas été possible d'amener M. Forsyth et M. Hudelson à se partager le bolide, peut-être les pays situés sous sa trajectoire se montreraient-ils plus raisonnables. En effet, une transaction, ou plutôt une convention, qui leur attribuerait à chacun, soit part égale de la sphère d'or, soit part proportionnée à leur étendue, leur assurerait une somme énorme, suffisante pour équilibrer les budgets ou même pour faire face à toutes les dépenses de l'avenir.

Aussi, dans un très court délai, une Commission internationale fut-elle nommée, dont la mission serait de défendre les intérêts de chacun des États qui, par leur situation géographique, pouvaient recevoir le précieux météore.

Les commissaires furent pour les États-Unis, M. Newell Harvey, de Boston, pour l'Angleterre M. Whiting, de Montréal, pour la Russie M. Saratof, de Riga, pour la Norvège M. Lieblin, de Christiania, pour le Danemark M. de Schack, de Copenhague, pour l'Afghanistan M. Oullah, appartenant à la famille de l'émir, pour le Nicaragua M. Truxillo, de San Leon, pour Costa-Rica M. Valdejo, de San Jose.

Qu'on ne soit pas surpris si les vastes régions du continent polaire antarctique n'envoyèrent point de représentants à cette Commission internationale : cela tenait à ce qu'elles n'étaient point habitées et ne le seront jamais. Si, par hasard, le bolide venait à y choir, cela finirait par être su, et les expéditions ne manqueraient point, qui partiraient soit de la Terre Clary, soit de la Terre Louis-Philippe à la conquête du globe d'or! Et cela amènerait plus sûrement la découverte du pôle Sud que la passion géographique des héroïques découvreurs!...

On se demandait si les îles Galapagos, riches en tortues de grande espèce, Albermale, Chatam, Norfolk et autres, seraient représentées dans cette Commission... Oui, et tout naturellement, puisqu'elles ont été acquises par les États-Unis en 1884 au prix de quinze millions de francs. Elles n'occupent d'ailleurs qu'une superficie de cent quarante-sept myriamètres carrés sur quatre degrés de l'océan Équinoxial. Les chances que le bolide vînt y prendre contact étaient donc fort restreintes. Mais si ce coup de fortune se produisait, quels regrets pour la République de l'Équateur d'avoir vendu ce groupe! Il est vrai, combien plus grandes les chances des États-Unis dans la partie occupée par la Virginie, la Caroline du Sud, la Géorgie et la Floride; pour l'Angleterre, avec les longues plaines du Canada, voisines de l'estuaire du Saint-Laurent, Ceylan de l'Inde et le Labrador de la Nouvelle-Bretagne; pour la Russie avec le pays des Kirghiz; pour le Danemark avec cette vaste région du Groenland; pour l'Afghanistan avec ces immenses steppes qui se développent sur une étendues de (...)[2] degrés.

Évidemment, la Norvège, à peine croisée par la trajectoire, avec une mince portion de son littoral ouest et le groupe des Loffoden, n'était pas favorisée par rapport aux autres États; mais elle n'avait pas voulu que ses droits fussent négligés, et son représentant prit place parmi les membres de la Commission internationale.

C'est à la date du 17 juin, à New York, que se réunit cette Commission. Les membres d'origine anglaise, danoise, norvégienne, nicaraguayenne et costaricienne s'embarquèrent sur les plus rapides steamers afin de se trouver au rendez-vous le jour dit. Le commissaire qui dut faire extrême diligence, fut

---

2. En blanc dans le manuscrit.

celui qu'envoya l'émir de l'Afghanistan. Servi par les circonstances, il put s'embarquer sur un paquebot français à X... et gagner Suez. De là, les Messageries le transportèrent à Marseille ; puis, ayant traversé la France, il franchit l'Atlantique sur un steamer allemand, et débarqua à New York en temps voulu.

À partir du 17 juin, la Commission internationale tint séance sept fois par semaine. Il n'y avait pas un jour à perdre. Le dénouement de cette affaire, sans exemple dans les fastes astronomiques, était peut-être plus prochain qu'on ne l'avait cru tout d'abord. Il n'était pas douteux que la vitesse du météore décroissait graduellement, en même temps que diminuait la distance qui le séparait de la terre. Les journaux spéciaux donnaient quotidiennement les chiffres de cette distance et de cette vitesse, et il n'était pas impossible que le calcul indiquât à quelques degrés près sur quel pays s'effectuerait la chute.

Du moment que des Américains, des Anglais, des Norvégiens, des Danois, et même des Afghans discutent des intérêts de cette importance, on ne saurait s'étonner si les discussion sont animées de part et d'autre. Il semblait que les divers États eussent fait acte de sagesse en n'imitant point M. Forsyth et le docteur Hudelson, qui s'étaient refusés à partager l'énorme trésor, oui, évidemment, et c'est bien à quoi tendirent au début les commissaires, conformément aux prétentions émises par chaque pays.

Mais s'ils se rencontrèrent sur le terrain du partage, l'entente parut bien difficile sur les attributions proportionnelles. Et, en effet, suivant l'étendue de sol au-dessous de la trajectoire, les chances étaient plus ou moins grandes. Aussi les commissaires se disputèrent-ils, le compas à la main, et on peut se demander si ledit compas, après avoir été un instrument de mesure, n'allait pas devenir une arme meurtrière.

Cependant, plus les séances se succédaient, et moins les délégués marchaient vers un accord commun. M. Harvey, des États-Unis, se montrait particulièrement intraitable à défendre ses intérêts, ayant bien soin d'insister sur ce que l'archipel des Galapagos faisait partie du domaine de la République Fédérale.

151

«Et, ne cessait-il de répéter – ce qui était vrai, en somme – c'est qu'à la surface du Pacifique, il n'y avait que ce groupe sur lequel put choir le bolide.»

M. Whiting, le délégué du gouvernement de la Grande-Bretagne, apportait dans ces discussions une morgue de grand seigneur, tout en ne voulant consentir à aucune concession. Oui! il se posait presque en dédaigneux représentant d'un pays qui ne court même pas après des trillions; mais, malgré ce dédain, il ne cédait pas la moindre parcelle de ses prétentions fondées sur cette circonstance que la trajectoire passait par deux fois au-dessus des possessions du Royaume-Uni : dans l'Ancien Continent, sur certaines régions de l'Inde, dans le Nouveau, sur un long morceau du Canada et du Labrador.

Mais cet Anglais trouva à qui parler en la personne de M. Saratof qui jetait à la tête de ses collègues le vaste pays des Kirghiz, dépendant du gouvernement moscovite.

Il est vrai que par la bouche de M. Oullah, l'Afghanistan lui répondait que le royaume de l'émir, comme étendue, valait bien le pays des Kirghiz. Et, avec quelle violence parlait cet Asiatique, interrompait, affirmait, démentait, on ne saurait s'en faire une idée! Cela tenait sans doute à ce que non seulement ce royaume de l'Asie Centrale avait grand besoin d'argent, mais aussi à ce qu'un tant pour cent était réservé audit Oullah dans l'affaire du bolide.

Cependant, il se trouvait dans cette Commission un délégué plus modeste. C'était M. Lieblin qui représentait la Norvège. En effet, cet État ne tablait guère que sur ses Loffoden et un petit segment de la Laponie, et ses chances ne pouvaient être que fort restreintes. Aussi tous ses efforts tendaient-ils à ce que chaque État, quel que fût le champ de chute offert au météore, eût part égale dans le partage. Mais il ne tarda pas à comprendre que l'Angleterre, la Russie, les États-Unis n'acquiesceraient jamais à cette proposition, et il s'en montrait fort chagriné dans l'intérêt de l'«Ancien Royaume du Nord».

M. Lieblin rencontra d'ailleurs un compétiteur des plus acharnés en M. de Schack. Le représentant du gouvernement danois étalait sous les yeux de la Commission tout son

Groenland au-dessus duquel l'orbite se décrivait du nord-est au sud-ouest. Il prétendait avoir des raisons de croire – lesquelles, il ne les faisait point connaître – que la chute se produirait en terre grœnlandaise. Ce n'est donc pas M. de Schack qui eût jamais consenti à un partage inégal à son préjudice. Il n'aurait pas fallu le pousser très vivement pour qu'il se dît en droit de réclamer la plus grosse somme des quatre mille milliards, ce qui eût permis aux Danois de ne plus jamais payer aucun impôt dans leur bienheureux royaume.

Étant donnés leurs intérêts, les commissaires parviendraient-ils à s'entendre ?... Les grands États ne feraient-ils pas la loi aux petits ?... Les premiers ne prétendraient-ils pas être avantagés, ce qui semblait assez juste, d'ailleurs ?... Ou, pour éviter toute contestation, toute difficulté, ne déciderait-on pas que les trillions seraient distribués en parts égales et leur somme divisée entre huit, ce qui donnerait encore le joli chiffre de cinq cents milliards pour chacun ?...

Eh bien, non ! il fallait compter avec l'avidité humaine si follement surexcitée en cette circonstance. Les séances devinrent de plus en plus orageuses. Il y eut lieu de penser que ces discussions dégénéraient en affaires personnelles. Des provocations furent échangées entre M. Newell Harvey, de Boston, et M. Valdejo, de Costa-Rica. Très heureusement, elles n'eurent pas de suites, et cette chasse au météore se terminerait sans effusion de sang.

Inutile de noter que les journaux des divers pays, aussi bien de ceux qui étaient directement intéressés à l'affaire que de ceux qui ne l'étaient pas, ne cessaient de combattre pour ou contre à coups d'articles. Mais la question n'avançait point, et on se demandait si le bolide ne serait pas tombé avant qu'elle ne fût résolue...

Et, ce qui la résoudrait d'une façon définitive, ce qui mettrait fin aux compétitions, ce serait que la chute se fît en pleine mer. Or, les chances n'étaient-elles pas pour qu'il en fût ainsi ?... Ce que l'Amérique, l'Europe, l'Asie, lui offraient, pouvait-il être comparé à l'aire immense du Pacifique, de l'océan Indien, des mers Arctique et Antarctique ?... n'était-il pas infiniment profitable que la boule d'or s'y précipiterait et serait à jamais engloutie dans les profondeurs neptuniennes ?...

Il faut l'avouer, du reste, l'immense majorité du public rejetait une pareille éventualité. Non ! on se refusait à la croire possible ! Quoi ! ce bloc du précieux métal, cette sphère d'un rayon de vingt-cinq mètres, irait se perdre dans les abîmes d'où aucun effort humain ne parviendrait à la retirer ?... Tant de milliards n'auraient paru sur les horizons que pour disparaître en suivant une nouvelle orbite à travers l'espace !... Non ! cent fois, non, et la terre entière aurait protesté par la bouche de ses quinze cents millions d'habitants !...

Au surplus, la Commission internationale ne songea jamais à envisager cette éventualité. Pour elle, le bolide serait un jour partie – et cela ne tarderait pas – du trésor terrestre. La seule question était de décider à qui il appartiendrait, quel serait l'État dans la poche duquel un heureux coup de fortune l'introduirait...

Et, en vérité, ainsi que le fit observer l'*Économiste* français, ne serait-il pas plus simple, plus juste aussi, que cette aubaine profitât à tout le monde, et non à un seul pays ?... qu'elle fût partagée entre chaque État du Nouveau ou de l'Ancien Continent proportionnellement au chiffre de sa population ?...

Comme vous l'imaginez aisément, l'Amérique, l'Angleterre, la Russie, la Norvège, le Danemark, l'Afghanistan, le Nicaragua, Costa-Rica, haussèrent les épaules, s'il est permis d'employer cette expression. Si la France faisait cette proposition qu'eussent volontiers appuyée l'Allemagne, l'Italie, en un mot, les autres royaumes ou Républiques, c'est qu'ils ne voyaient point le bolide passer à leur zénith et ne seraient, en aucun cas, enrichis par sa chute. Cette proposition n'avait donc pas chance d'être admise, et elle ne le fut pas.

Bref, après dix jours de discussions qui ne purent aboutir, la Commission internationale se sépara sur une séance qui nécessita l'intervention de la police de Boston.

Il arriva donc que la question fut tranchée de la façon la plus naturelle, et qui sait si ce n'était pas la meilleure ?...

Puisque les délégués n'avaient pu s'entendre sur un partage, soit égal, soit proportionnel, le bolide appartiendrait à celui des pays sur lequel il finirait par tomber.

Cette décision, si elle ne satisfaisait pas les intéressés, fut acceptée avec empressement par tous les États qui n'avaient aucun intérêt dans l'affaire, et combien cela est humain! En somme, ladite affaire ne serait plus qu'une loterie, ayant un seul lot d'une valeur invraisemblable, une loterie qui se tirerait entre les États-Unis, l'Angleterre, la Russie, le Danemark, la Norvège, l'Afghanistan, le Nicaragua, Costa-Rica... Tant mieux pour qui aurait le bon numéro.

Quant aux droits de M. Dean Forsyth et de M. Stanley Hudelson, on ne s'en occupa même pas, et Dieu sait s'ils avaient réclamé près de la Commission internationale, s'ils s'étaient efforcés d'être entendus par elle. Ils avaient fait le voyage de Boston en pure perte. Ils furent éconduits comme de misérables intrus. Que prétendaient-ils, s'il vous plaît? Ils avaient été les premiers à signaler l'arrivée du météore dans la zone d'attraction terrestre... Et puis après?... Était-ce eux qui l'y avaient attiré?... Est-ce qu'il n'y serait pas venu quand même?...

On juge de leur fureur quand ils revinrent à Whaston, fureur plus violente envers la Commission que celle qu'ils éprouvaient l'un pour l'autre!

«Nous réclamerons... nous réclamerons... nous ne cesserons de réclamer tant qu'il nous restera une goutte de sang dans les veines!», répétaient-ils à leurs partisans.

Eh bien, ils n'avaient qu'à attendre, et c'est au pays favorisé qu'ils adresseraient leur réclamation! Et qui sait si, après un tel coup de fortune, ce pays ne consentirait pas à abandonner quelques milliards à M. Forsyth et au docteur Hudelson?...

En ce qui concerne leurs familles, elles ne songeaient même point à les plaindre, elles souffraient trop de cette rupture dont ils étaient les seuls auteurs. Francis Gordon se désespérait, Jenny dépérissait et Mrs Hudelson ne pouvait la consoler. Elle ne voyait plus son fiancé, si ce n'est alors qu'il passait dans Morris-street. Devant les ordres formels du docteur, il avait dû renoncer à ses visites.

Quant aux malédictions de miss Loo et de la vieille Mitz, c'est au bolide qu'elles s'adressaient maintenant, au bolide qui continuait à se rapprocher de la terre par suite de sa marche décroissante. Et, ce qu'elles lui souhaitaient toutes deux, c'était bien qu'il disparût au plus profond des mers. Peut-être les deux rivaux, n'ayant plus rien à réclamer ni à propos de la découverte d'un astéroïde anéanti ni à propos de milliards engloutis, finiraient-ils par oublier leurs haines personnelles...

Et, en vérité, ce que désiraient la fillette et la vieille servante, n'était-ce pas ce qu'il y avait de plus désirable et dans l'intérêt général ? Le *Punch* ne le fit-il pas voir dans un article ironique, où il prouva que la possession du bolide, au lieu d'enrichir, appauvrirait le monde entier ?...

«Tombe, superbe astéroïde, s'écriait un de ses rédacteurs, tombe, et une grêle que les nuages déverseraient sur notre globe pendant des mois, pendant des années, sans intermittence, ne nous ferait pas plus de mal. Tombe, et c'est l'universel appauvrissement, la ruine générale qui s'y précipiterait avec toi ! Est-ce que déjà la production de l'or ne s'accroît pas chaque année dans une proportion inquiétante ?... Est-ce que de 1890 à 1898, elle n'est pas montée de six cents à quinze cents millions ?... Et pourtant, la bijouterie et les arts n'en emploient annuellement que pour une somme de trois cent soixante millions, et l'usure des pièces n'est pas évaluée à plus de cent quatre-vingts !... À ne prendre que la fortune immobilière et mobilière de l'Europe, on estime qu'elle atteint, au plus, onze cent soixante quinze milliards de francs, et le capital mobilier ne dépasse pas cinq cents milliards, soit pour l'Angleterre deux cent quatre-vingt-quinze, pour la France deux cent quarante-sept, pour l'Allemagne deux cent un, pour la Russie cent soixante, pour l'Autriche cent trois, pour l'Italie soixante-dix-neuf, pour la Belgique vingt-cinq, pour la Hollande vingt-deux ! Pour le Nouveau continent, l'évaluation n'a pu être faite, mais admettons que sa fortune vaille la moitié de l'Ancien, le total ne donnerait que seize cents milliards ! Eh bien, comparez ce chiffre à celui que représente la valeur du bolide, c'est-à-dire quatre mille milliards... Vous verrez quel en sera le résultat :

environ trois fois plus d'or qu'il n'y en a d'extrait sur la terre...
Et il ne vaudra pas le (...)[3] de ce qu'il vaut aujourd'hui !... Alors
toutes les conditions financières seront modifiées !... Tombe,
tombe donc, déplorable météore, et les propriétaires de mines,
en Californie comme en Australie, au Transvaal comme au
Klondike, mourront de faim sur le seuil de leurs placers ! »

Tout ce raisonnement n'avait rien d'exagéré, et, assurément, pour éviter les perturbations financières qui résulteraient
de sa chute, mieux vaudrait que le bolide, rejeté hors de
l'attraction terrestre, allât à des milliers de lieues tracer une
nouvelle orbite à travers l'espace !

Mais, on le répète, en immense majorité, les esprits étaient
hypnotisés par la vue du bolide, à ce point que s'il eut été possible, tous les moyens auraient été mis en œuvre pour l'attirer,
alors que tous les efforts eussent dû tendre à l'éloigner de notre
sphéroïde !...

Telle était la situation dont le dénouement ne pouvait plus
être très éloigné. En effet, si le ciel, le plus souvent voilé de
nuages, ne permettait pas, des divers points d'où il pouvait être
aperçu, d'observer sans relâche la marche du bolide, les instruments le saisissaient suffisamment à son passage pour en déterminer et la vitesse et la distance. Elles décroissaient suivant les
lois de la mécanique, et la chute ne devait plus être qu'une
question de semaines, de jours peut-être. On l'entendait siffler
comme une gigantesque bombe à travers les hautes zones
atmosphériques. Cela aurait bien dû causer une frayeur générale, car, à tomber sur un hameau, sur un village, sur une ville,
on imagine aisément quels dégâts eût produits cette masse de
douze cent soixante mille tonnes ! Étant donnée sa hauteur
verticale, en multipliant sa pesanteur par le carré de la vitesse, il
y avait lieu de croire qu'il s'enterrerait profondément dans le
sol.

« Oui... il s'y enfoncera, prophétisèrent certains journaux, il
crèvera l'écorce terrestre, il pénétrera dans le vide intérieur où
l'énorme quantité de carbure de fer qui compose notre globe est

---

3. En blanc dans le manuscrit.

maintenu à l'état de fusion, et il s'y volatilisera, et on n'en retirera pas un rouge-liard ! »

Dans la matinée du 29 juin, voici la nouvelle que les télégrammes répandirent dans le monde entier, d'après les calculs de l'observatoire de Boston :

« Les observations permettent aujourd'hui de porter à la connaissance des intéressés des deux continents l'information suivante :

« L'endroit et la date où s'effectuera la chute du bolide n'ont pu être encore établis d'une manière absolue. Ils pourront, sans doute, l'être bientôt avec une entière précision.

« C'est entre le 7 et le 15 août prochains que la chute se produira à la surface du globe terrestre, et ce sera sur la partie comprise entre les soixante-dixièmes et soixante-quatorzièmes parallèles Nord et entre les quarante-cinquièmes et soixantièmes degrés de longitude Ouest, au Groenland. »

À la réception de cette dépêche, il y eut un effondrement sur tous les marchés, et ce fut des trois quarts de leur valeur que baissèrent les actions des exploitations aurifères de l'Ancien et du Nouveau Monde !

XIV

Dans lequel on voit nombre de curieux profiter de cette occasion, non moins pour aller au Groenland que pour assister à la chute de l'extraordinaire bolide.

Le 5 juillet, dans la matinée, toute la population assistait au départ du steamer *Mozik*, qui allait quitter Charleston, le grand port de la Caroline du Sud. Toutes les cabines disponibles de ce navire de quinze cents tonneaux avaient été retenues depuis plusieurs jours, tant affluaient les curieux Américains qui voulaient se rendre au Groenland. Et non seulement le *Mozik* avait été frété pour cette destination, mais nombre d'autres paquebots de différentes nationalités se disposaient à remonter l'Atlantique jusqu'au détroit de Davis et à la mer de Baffin, au-delà des limites du Cercle polaire arctique.

Cette prodigieuse affluence se comprendra dans l'état de surexcitation où se trouvaient les esprits. L'observatoire de Boston ne pouvait avoir fait erreur, et des savants qui se fussent trompés dans des circonstances si exceptionnelles, auraient été inexcusables, et eussent mérité d'être voués à l'indignation publique.

Qu'on se rassure, rien de plus exact. Ce n'était ni sur les territoires américains, anglais, russes, norvégiens, afghans, que

159

devait tomber le bolide, ni sur les terres inabordables des contrées polaires, ni, non plus, dans les abîmes des Océans dont aucun effort humain n'eût pu le retirer !...

Non, c'était le Groenland qui le recevrait sur son sol, c'était cette vaste région, appartenant au Danemark, que la fortune allait favoriser préférablement à tous les autres États de l'Europe, de l'Asie et de l'Amérique.

Il est vrai, elle est immense, cette contrée, et on ignore si elle est continent ou île. Il était donc à craindre que le météore ne s'abattît sur un point très éloigné du littoral, à des centaines de lieues vers l'intérieur, et les difficultés seraient grandes pour l'atteindre. N'importe ! on les vaincrait, ces difficultés, on braverait les froids arctiques et les tempêtes de neige, et quand même la chute se fût produite au pôle Nord, eh bien, nul doute qu'on aurait été au pôle Nord, et avec plus d'ardeur que ne l'ont fait jusqu'ici les navigateurs des latitudes hyperboréennes, Parry, Nansen ou autres, puisqu'il s'agirait d'y recueillir un bloc d'or valant quatre mille milliards !

Du reste, il y avait à espérer que le lieu de chute ne tarderait pas à être désigné avec plus de précision, comme la date à laquelle tomberait le météore. On ne doutait donc pas d'être fixé à cet égard dès l'arrivée des premiers navires sur la côte groenlandaise.

Si le lecteur eut pris passage sur le *Mozik*, au milieu des centaines de personnes – parmi elles quelques femmes, et non des moins curieuses – il eût remarqué quatre voyageurs qui ne lui sont pas inconnus. Leur présence, ou tout au moins la présence de trois de ces passagers, ne l'aurait pas autrement surpris.

L'un était M. Dean Forsyth, accompagné d'Omicron, qui avait quitté la tour d'Elizabeth-street, le troisième était M. Stanley Hudelson qui avait quitté le donjon de Morris-street.

En effet, dès que les compagnies de transport, bien avisées, eurent organisé ces voyages au Groenland, les deux rivaux n'hésitèrent point à prendre leur billet d'aller et retour. Au besoin, ils eussent affrété chacun un navire à destination d'Upernavik, capitale de la colonie danoise[1]. Qu'ils eussent l'idée d'être les premiers à mettre la main sur le bloc d'or, de se l'approprier, de le rapporter à Whaston, non, évidemment. Mais on ne s'étonnera pas que tous deux voulussent se trouver là au moment de la chute...

Et qui sait si le gouvernement danois, ayant pris possession du bolide, ne leur attribuerait pas une certaine part de ces milliards tombés du ciel ?... Qui sait même s'il ne résoudrait pas la question pendante, s'il ne la trancherait pas en attribuant définitivement la découverte aux deux notables de la cité virginienne, si ce météore, l'un des plus extraordinaires qui eût jamais paru sur un horizon terrestre, ne serait pas catalogué sous la double appellation de Forsyth-Hudelson, de manière à lui donner rang au milieu des noms d'Herschell, d'Arago, de Leverrier, illustres dans les fastes astronomiques ?...

Il va de soi que, à bord du *Mozik*, M. Forsyth et le docteur n'avaient point pris deux cabines voisines. Au cours de cette navigation, ils ne se tiendraient pas moins éloignés l'un de l'autre qu'à Whaston. Ils n'auraient aucun rapport, et quelques-uns de leurs partisans, embarqués avec eux, garderaient la même attitude.

Mrs Hudelson, cela est à noter, n'avait point déconseillé le départ de son mari, pas plus que la vieille Mitz n'avait essayé de dissuader son maître d'entreprendre ce voyage. Peut-être avaient-elles l'espoir qu'ils en reviendraient réconciliés. Pourquoi ne se présenterait-il pas des circonstances qui les ramèneraient à de meilleurs sentiments ? C'était bien l'opinion de miss Loo, et la fillette avait même proposé d'accompagner son père au Groenland. Peut-être n'était-ce pas là une mauvaise idée. Mais Mrs Hudelson n'avait point voulu y consentir. Ce voyage, qui exigerait une vingtaine de jours à l'aller, autant au retour, pouvait occasionner d'extrêmes fatigues. En outre, savait-on combien durerait le séjour sur la terre groenlandaise ?... Et si la chute tardait ?... Et si la mauvaise saison, très précoce sous ce

---

1. L'actuelle capitale du Groenland est Nuuk (ancienne Godthâb).

climat si dur, arrivait avant que la campagne eût pris fin ?... Et si, ce qui était possible, M. Forsyth et M. Hudelson s'obstinaient à hiverner dans cette contrée, au-dessus du Cercle polaire, comme des Lapons ou des Esquimaux ?... Non, il eût été imprudent de laisser partir miss Loo, qui ne renonça pas sans peine à ce voyage. Elle resterait donc près de sa mère, déjà trop inquiète pour le docteur, et près de sa sœur Jenny qui aurait tant besoin de consolations.

En effet, si la fillette n'avait point pris passage à bord du *Mozik*, Francis Gordon s'était résolu à accompagner son oncle. Assurément, pendant l'absence du docteur, il n'aurait pas voulu transgresser ses ordres formels en se présentant à la maison de Morris-street. Mieux valait donc qu'il prît part au voyage, tout comme le faisait Omicron, pour s'interposer le cas échéant entre les deux adversaires, et profiter de toute éventualité qui pourrait modifier cette déplorable situation. Il lui semblait bien qu'elle se détendrait d'elle-même, qu'après la chute du bolide, soit qu'il fût devenu propriété de la nation danoise, soit qu'il eût été se perdre dans les profondeurs de l'océan Arctique. Car, en dépit de leurs déclarations, les astronomes de Boston pouvaient s'être trompés en affirmant qu'il tomberait sur le territoire groenlandais. Ce pays n'est-il pas situé entre deux mers, lesquelles, à cette latitude, ne sont point séparées par plus d'une trentaine de degrés. Il suffirait, d'ailleurs, d'une déviation provoquée par quelque circonstance atmosphérique, pour que l'objet de tant de convoitises échappât à l'avidité humaine.

C'est là, on ne l'a point oublié, ce que désirait miss Loo, et Francis Gordon donnait absolument raison à la fillette.

Par exemple, un personnage que ce dénouement n'eût point satisfait, se trouvait au nombre des passagers du steamer. Ce n'était rien moins que M. Ewald de Schack, le délégué du Danemark à la Commission internationale. Le petit État du roi Christian allait tout simplement devenir le plus riche du monde. Si les coffres du gouvernement de Copenhague n'étaient pas assez grands, on les agrandirait, s'ils n'étaient pas assez nombreux, on augmenterait leur nombre. C'est là que les trillions devaient s'entasser et non au fond des mers.

Heureuse circonstance, d'ailleurs, qui avait favorisé ce petit royaume, où n'existait plus aucun impôt d'aucune sorte, et où serait anéantie l'indigence ! Étant donnée la sagesse, la prudence danoise, nul doute que cette énorme masse d'or ne s'écoulerait qu'avec une extrême réserve. Il y avait donc lieu d'espérer que le marché monétaire ne subirait aucun trouble par le fait de cette pluie dont Jupiter inonda la jolie Danaé, s'il faut en croire les récits mythologiques.

Bref, M. de Schack allait être le héros du bord, et il était homme à tenir son rang. Les personnalités de M. Dean Forsyth et du docteur Hudelson s'effaçaient devant celle de ce représentant du Danemark, et, cette fois, c'était dans une haine commune que les deux rivaux se rencontraient envers ledit représentant d'un État, qui ne leur laissait aucune part dans leur immortelle découverte.

Et peut-être Francis Gordon ne s'illusionnait-il pas en tablant sur cette circonstance pour tenter un rapprochement de son oncle et du docteur.

La traversée de Charleston à la capitale groenlandaise peut être estimée à deux mille six cents milles, soit près de cinq mille kilomètres. On estimait qu'elle durerait une vingtaine de jours, y compris la relâche à Boston, où le *Mozik* se réapprovisionnerait de charbon. Du reste, il emportait des vivres pour plusieurs mois, ce que feraient les autres navires à même destination, car, par suite de l'affluence des curieux, il eût été impossible d'assurer leur existence à Upernavik.

Le *Mozik* remontait donc vers le nord, en longeant la côte orientale des États-Unis. Presque toujours la terre restait en vue, et, dès le lendemain du départ, le cap Hatteras, à la pointe de la Caroline du Nord, fut laissé en arrière.

Au mois de juillet, le ciel est généralement beau dans ces parages de l'Atlantique, et, tant que la brise soufflait de l'ouest, le steamer glissait sur une mer calme, couverte par la côte. Mais, parfois, le vent venait du large, et alors roulis et tangage produisaient leurs effets accoutumés.

Si M. de Schack avait un cœur solide de trillionnaire, si le mal de mer n'était point pour éprouver ce chanceux Omicron, il n'en fut pas ainsi de M. Dean Forsyth et du docteur Hudelson. C'était leur début en navigation, et ils payèrent largement tribut au Dieu Neptune. Mais, pas un instant, ils n'en vinrent à regretter de s'être lancés dans une semblable aventure. Si on ne consentait pas à leur accorder quelques parcelles du bolide, ils seraient là, du moins, au moment de sa chute, ils le contempleraient, ils le palperaient, et, positivement, ils en étaient à croire que, s'il avait paru sur l'horizon terrestre, c'était grâce à eux !...

Il va sans dire que Francis Gordon ne donnait point prise au mal de mer. Ni nausées ni haut-le-cœur ne devaient le troubler pendant ce voyage. Aussi s'empressait-il à soigner son oncle et celui qui aurait dû être son beau-père depuis plusieurs semaines avec la même sollicitude. Et, lorsque la houle moins forte épargnait ses secousses au *Mozik*, il les conduisait hors de leurs cabines, il les amenait au grand air sur le spardeck, il les asseyait chacun sur un fauteuil canné, pas très loin l'un de l'autre, en ayant soin de diminuer graduellement cette distance.

«Comment allez-vous?, disait-il en ramenant une couverture sur les jambes de son oncle.

— Pas très bien, Francis, répondait M. Forsyth, mais j'espère que je m'y ferai...

— N'en doutez pas, mon oncle ! »

Et, en accotant le docteur contre les coussins bien disposés :

«Comment cela va-t-il, monsieur Hudelson ? », répétait-il d'un ton affable, comme s'il n'eût jamais été congédié de la maison de Morris-street.

Et les deux rivaux restaient là quelques heures, ne cherchant point à se regarder mais n'évitant pas non plus leurs regards. Seulement, lorsque M. de Schack venait à passer près d'eux, solide sur ses jambes, sûr de lui comme un gabier qui se rit de la houle, la tête haute de l'homme qui ne rêve que rêves d'or, qui voit tout en or, M. Forsyth et M. Hudelson se redressaient, leurs yeux lançaient des éclairs, et s'ils avaient été doués d'une tension électrique suffisante, ils auraient foudroyé le commissaire danois.

«Ce détrousseur de bolides, murmurait M. Forsyth.

— Ce voleur de météores ! », ajoutait M. Hudelson.

Mais M. de Schack n'y prenait garde ; il ne voulait même pas remarquer leur présence à bord. Il allait et venait dédaigneusement avec l'aplomb d'un homme qui va rapporter à son pays plus d'argent qu'il n'en faudrait pour racheter le Holstein et le Schleswig à l'Allemagne, même pour rembourser la dette du monde entier, puisqu'elle ne dépasse pas cent soixante milliards.

Cependant, la navigation se poursuivait dans des conditions assez heureuses, en somme. D'autres navires, partis des ports de la côte est, remontaient au nord, en se dirigeant vers le détroit de Davis. Et il était probable qu'au large, nombre d'autres traversaient l'Atlantique à même destination.

Le *Mozik* passa devant la baie de New York sans s'arrêter, et, cap au nord-est, suivit le littoral de la Nouvelle-Angleterre jusqu'à la hauteur de Boston ; puis, dans la matinée du 13 juillet, vint relâcher devant cette capitale de l'État de Massachusetts. Il ne devait y passer qu'une journée pour remplir ses soutes, car ce n'est pas au Groenland qu'il aurait pu renouveler son combustible.

Si la traversée n'avait pas été mauvaise, cependant les passagers, pour la plupart, venaient d'être très éprouvés par le mal de mer. Aussi plusieurs renoncèrent-ils à prolonger leur séjour à bord du *Mozik*, et on en compta une demi-douzaine qui débarquèrent à Boston. Qu'on en soit sûr, ce n'étaient ni M. Dean Forsyth ni le docteur Hudelson ! Ne point persister à se rendre au Groenland, eût-ce été admissible de la part de ces deux personnages ? Dussent-ils, sous les coups de roulis et de tangage, en arriver à leur dernier souffle, du moins le rendraient-ils en face du météore aérien, devenu météore terrestre.

Le débarquement de ces quelques passagers, moins endurants ou moins passionnés, laissa libre plusieurs des cabines du *Mozik*. Mais elles ne manquèrent pas d'occupants qui en profitèrent pour prendre passage à Boston.

Parmi ceux-ci, on aurait pu remarquer un gentleman de belle allure, qui s'était présenté des premiers pour prendre possession de l'une des cabines vacantes et qu'il n'eût permis à personne de lui disputer. Ce gentleman qui ne cachait point son extrême satisfaction d'avoir trouvé place à bord, n'était autre que M. Seth Stanfort, l'époux divorcé de miss Arcadia Walker, dont le mariage s'accomplit dans les conditions que l'on sait, par devant le juge Proth de Whaston.

Après la séparation, qui remontait déjà à plus de deux mois, M. Seth Stanfort était rentré à Boston. Toujours possédé du goût des voyages, il avait été visiter les principales villes du Canada, Québec, Toronto, Montréal, Ottawa. Cherchait-il à oublier son ancienne femme, ou ne lui restait-il aucun souvenir de mistress Arcadia Stanfort, cela semblait peu probable. Les deux époux s'étaient plu d'abord, ils s'étaient déplu ensuite. Un divorce aussi original que le fut leur mariage les avait séparés l'un de l'autre. Ils ne se reverraient jamais sans doute, ou, s'ils se revoyaient, peut-être ne se reconnaîtraient-ils même pas ?...

Bref, M. Seth Stanfort venait d'arriver à Toronto[2], la capitale actuelle du Dominion, lorsqu'il eut connaissance des télégrammes relatifs au bolide. Que la chute eût dû s'effectuer à quelques milliers de là dans les régions les plus reculées de l'Asie ou de l'Afrique, il aurait assurément fait l'impossible pour s'y rendre. Ce n'est point que ce phénomène astronomique l'intéressât autrement, mais, assister à un spectacle qui ne compterait qu'un nombre relativement infime de spectateurs, voir ce que des millions d'êtres humains ne verraient pas, cela était bien pour tenter un aventureux gentleman, grand amateur des déplacements, et auquel sa fortune permettait les plus fantaisistes voyages.

Or, cette fois, il ne s'agissait pas de partir pour les antipodes. Le théâtre de cette féerie astronomique se trouvait à la porte du Canada. Sans doute, ce serait une foule qui assisterait au dénouement de cette histoire météoro-fantastique. M. Seth Stanfort ne formerait qu'une unité dans cette foule... Néanmoins, cet événement, assez curieux en somme, ne se reproduirait probablement pas de sitôt du moins, et il convenait d'avoir été de ceux qui se seraient rendus au Groenland.

M. Seth Stanfort prit donc le premier train qui partait pour Québec, puis de là celui qui courait vers Boston à travers les

---

2. (Sic) Ottawa a été désignée capitale par la reine Victoria en 1858.

plaines du Dominion et de la Nouvelle-Angleterre. Mais, en arrivant à Boston, plus de navire en partance. Le dernier bâtiment avait pris la mer deux jours avant avec un nombre considérable de passagers.

M. Seth Stanfort dut attendre. Les feuilles maritimes lui avaient annoncé que le *Mozik*, de Charleston, devait faire escale à Boston, et peut-être trouverait-il à s'y embarquer. En réalité, il n'y avait point de temps à perdre. La chute, d'après les informations de l'observatoire, se produirait entre le 7 et le 15 août. Or, on était au 11 juillet, et de la capitale du Massachusetts à la capitale groenlandaise, le steamer n'aurait pas moins de dix-huit cents milles à franchir dans des mers souvent troublées par les courants venus des hauteurs du pôle Nord.

Quarante-huit heures après l'arrivée de M. Seth Stanfort à Boston, le *Mozik* entra dans le port, et on sait grâce à quelles circonstances le chanceux gentleman put disposer d'une cabine devenue libre.

En quittant Boston, le *Mozik*, sans perdre la terre de vue, passa au large de Portsmouth, de Portland, prêt à recueillir les informations que lui enverraient les sémaphores relativement au bolide. Les passagers le voyaient bien passer au-dessus de leur tête, lorsque l'espace se dégageait, mais ils n'auraient pu apprécier la décroissance de sa vitesse de manière à connaître plus exactement et la date et le lieu de sa chute. Les postes sémaphoriques restèrent muets. Peut-être celui d'Halifax serait-il plus loquace, lorsque le steamer se trouverait à l'ouvert de ce grand port de la Nouvelle-Écosse.

Il n'en fut rien, et combien les voyageurs durent regretter que la baie de Fundy, entre la Nouvelle-Écosse et le Nouveau-Brunswick, n'offrît pas d'issue vers l'est ! Ils n'auraient pas eu à supporter les violentes mers qui les assaillirent jusqu'à l'île du Cap Breton. Et, malgré les réconfortantes recommandations de Francis Gordon, M. Forsyth et M. Hudelson ne s'y faisaient pas plus l'un que l'autre. Et même, il échappa au premier que relevait Omicron, alors qu'un rude coup de roulis venait de les plaquer côte à côte sur le spardeck :

« C'est pourtant votre bolide qui est cause de tout cela !

« — Le vôtre, s'il vous plaît, le vôtre ! », répondit le docteur que Francis aidait à se remettre d'aplomb.

Eh ! ils n'en étaient plus à se battre sur une question de priorité ! Mais de là à une réconciliation, il y avait loin encore.

Heureusement, le commandant du *Mozik* eut l'excellente idée, en voyant les passagers si malades, de leur épargner les terribles houles du large. À s'engager dans le golfe du Saint-Laurent, en s'abritant du littoral de Terre-Neuve, il regagnerait la haute mer par le détroit de Belle-Isle, et leur assurerait une navigation plus calme. Puis, après avoir traversé dans toute sa largeur le détroit de Davis, il irait chercher la côte occidentale du Groenland.

C'est ce qui se fit les jours suivants, et le cap Farewell, à l'extrémité de la terre groenlandaise fut signalé dans la matinée du 21 juillet. C'est contre ce cap que viennent se briser les lames de l'océan Atlantique septentrional, et avec quelle furie, ils ne le savaient que trop, les courageux pêcheurs du banc de Terre-Neuve et de l'Islande !

Par bonheur, il n'était point question de remonter le long de la côte est du Groenland, puisque, d'après les astronomes, le bolide tomberait dans le voisinage du détroit de Davis ou de la mer de Baffin plutôt qu'au large des terres américaines. Cette côte, d'ailleurs, est à peu près inabordable, elle n'offre aucun port où les bâtiments puissent relâcher, et les houles de la haute mer la battent de plein fouet. Au contraire, une fois engagé dans le détroit de Davis, les abris ne manquent ni au fond des fjords, ni derrière les îles, et, sauf lorsque les vents du sud donnent directement, la navigation s'effectue dans des conditions favorables.

Un peu au-dessus du cap Farewell s'ouvre le petit port de Lichtenau, où venait d'arriver un rapide croiseur anglais expédié de Saint-Jean de Terre-Neuve. Ce croiseur était porteur d'une nouvelle des plus intéressantes pour les voyageurs qu'une si extraordinaire curiosité amenait vers ces parages au-delà du Cercle polaire arctique.

Des récentes observations faites à l'observatoire de Boston, les astronomes avaient pu calculer avec plus de précision quelle partie du Groenland recevrait le météore. Ce serait aux environs d'Upernavik, dans un rayon qui ne dépasserait pas cinq à six lieues. Information heureuse s'il en fut et que le sémaphore transmit au *Mozik*, alors qu'il passait en vue de Lichtenau. Il n'y avait plus à craindre que le globe d'or allât se perdre dans les profondeurs de la mer. Il ne serait pas nécessaire de s'aventurer au milieu de ces affreuses solitudes, de ces régions inhabitables qui s'étendent vers le nord du Groenland. Le champ de chute était circonscrit à quelque vingt ou trente milles carrés. Ce fut une joie pour les passagers, qui, en ayant fini avec les fatigues de l'aller, ne voulaient même pas songer aux épreuves du retour. Et, dans le salon du *Mozik*, M. Dean Forsyth et le docteur Hudelson ne furent pas les derniers à répondre aux toasts que le généreux Seth Stanfort porta en l'honneur du bolide, en offrant le champagne à ses compagnons de voyage.

Assurément, la satisfaction eût été plus complète, non seulement à bord du paquebot, mais dans le monde entier, pourrait-on dire, si la date du grand événement avait pu être fixée plus exactement, sinon à une heure, du moins à un jour près. Mais les calculs ne l'avaient pas établie encore, et il y avait toujours lieu de l'attendre pour la seconde semaine du mois d'août.

La traversée se continua sans que les passagers eussent à trop se plaindre. Le vent, en forte brise, venait maintenant du nord-est, et sur le littoral opposé du Groenland, la houle devait battre avec une redoutable violence. C'était donc une très favorable circonstance que l'itinéraire du *Mozik* dût s'effectuer par le détroit de Davis, même en se prolongeant jusqu'aux parages de la mer de Baffin, déjà très élevés en latitude.

Toute cette partie de la côte groenlandaise, depuis le cap Farewell jusqu'à l'île Disko, présente surtout des falaises de roches primitives dont l'altitude est considérable. Les vents du large sont arrêtés par cette barrière, et les navires n'ont que l'embarras du choix entre les multiples rades, criques, ports qui leur offrent de sûrs abris. Même pendant la période hivernale, ce littoral est moins obstrué par les glaces que les courants du pôle accumulent dans l'océan Boréal. Il est vrai, les montagnes de l'intérieur sont couvertes de neiges perpétuelles, et il eût été très difficile de retrouver le bolide s'il fut tombé au milieu de leur dédale.

Ce fut dans ces conditions que le *Mozik* battit de sa rapide hélice les eaux de la baie Gilbert. Il vint relâcher quelques heures à Godthaab où le cuisinier du bord put se procurer du poisson frais en grande quantité, et n'est-ce pas de la mer que les peuplades groenlandaises tirent leur principale nourriture ? Puis, il passa successivement à l'ouvert des ports de Holsteinborg et de Christianshaab, tellement enfermés dans leurs murailles de roches qu'on ne saurait en soupçonner l'existence. Ce sont là d'utiles retraites pour les nombreux pêcheurs du détroit de Davis. Ces bourgades offrent toujours une certaine animation pendant la saison hivernale. Nombre de bâtiments, d'ailleurs, font la chasse des baleines, des narvals, des morses, des phoques dans ces parages, en s'élevant parfois jusqu'aux dernières limites de la mer de Baffin qui communique par le détroit de Smyth avec les mers arctiques.

L'île Disko, que le steamer atteignit dans la journée du 22 juillet, est la plus importante de toutes celles dont le chapelet s'égrène le long du littoral groenlandais. Cette île aux falaises basaltiques possède une capitale, Godhavn, bâtie sur sa côte méridionale. Cette station danoise se compose, non de maisons en pierre, mais de maisons en bois, avec murs de poutres à peine équarries, enduites d'une épaisse couche de goudron qui s'oppose à la pénétration de l'air. En sa qualité de passager que n'hypnotisait pas le météore, Francis Gordon fut vivement impressionné à la vue de cette bourgade noirâtre, que relevait çà et là la teinte rouge des toitures et des fenêtres. Il se demandait ce que devait être la vie pendant les hivers de ce climat, et on l'eût bien étonné en lui assurant qu'elle était à peu près celle des familles de Copenhague. Certaines maisons n'y sont point dépourvues de confortable, bien que peu meublées, ayant salon, salle à manger, bibliothèques même, car « la haute société », si l'on peut s'exprimer de la sorte, est danoise d'origine. L'autorité y est représentée par un inspecteur qui, chaque année, se transporte jusqu'à la cité d'Upernavik, située plus au Nord, et qui est la véritable capitale du Groenland.

Après avoir laissé en arrière l'île Disko, le *Mozik* s'engagea à travers le détroit de Waigat qui sépare l'île du continent américain, et le 25 juillet, vers six heures du soir, il vint mouiller dans le port d'Upernavik.

XV

Dans lequel on verra se rencontrer un passager du Mozik *avec une passagère de l'*Orégon, *en attendant la rencontre du merveilleux bolide avec le globe terrestre.*

L e Groenland, c'est la «Terre Verte», et, sans doute, ce nom lui fut donné par ironie, car il aurait dû s'appeler plutôt la «Terre Blanche»! Il est vrai, l'auteur de cette appellation, est un certain Érik le Rouge, un marin du Xe siècle, qui, probablement, n'était pas plus rouge que le Groenland n'est vert. Et peut-être ce Norvégien espérait-il décider ses compatriotes ou autres à venir coloniser cette vaste région hyperboréenne. En tout cas, il n'y aura guère réussi, les colons ne se sont point laissé prendre à ce nom enchanteur, et, actuellement, en y comprenant les indigènes, la population groenlandaise ne dépasse pas dix mille habitants.

Il faut l'avouer, si jamais pays ne fut point fait pour recevoir un bolide valant quatre mille milliards, c'était bien celui-ci, réflexion que dut se permettre cette foule de passagers que la curiosité venait d'amener dans le port d'Upernavik! Ne lui était-il pas aussi facile de tomber quelques centaines de lieues plus au sud, à la surface des larges plaines du Dominion ou de l'Union, là où il eût été si aisé de le retrouver!... Et c'était la

contrée la plus pénible à parcourir, la plus hérissée de montagnes, la plus embarrassée de glaciers, la plus creusée de précipices, avec des parties pour ainsi dire impraticables, qui allait être le théâtre de cette mémorable chute ! Et si elle se fut produite dans les régions du centre, ou de la côte orientale, comment aurait-on pu se mettre à la recherche du météore ?...
Qui eût osé faire ce qu'avaient fait Whymper en 1867, Nordenskiold en 1870, Jensen en 1878, Nansen en 1888, se lancer à travers ces multiples obstacles qui exigent à la fois l'audace, l'adresse, l'endurance physique à un degré rare, s'aventurer au milieu d'un labyrinthe de montagnes, franchir des altitudes de deux à trois mille mètres, dans les tourbillons neigeux d'un pays où les froids de l'hiver oscillent entre quarante et soixante degrés au-dessous du zéro centigrade ?...

Et cependant, il y avait des précédents à invoquer, oui ! des précédents. Est-ce que des bolides n'ont pas déjà choisi le Groenland pour théâtre de leur chute ? Est-ce que, dans l'île Disko, à Ovifak, Nordenskiold n'a pas trouvé trois blocs de fer, pesant chacun vingt-quatre tonnes, très probablement des météorites, qui figurent actuellement dans le Musée de Stockholm ?...

Très heureusement, si les astronomes n'avaient point fait erreur, le bolide devait choir sur une région plus abordable, et pendant ces mois d'été, précisément ce mois d'août qui relève la température au-dessus de la glace. Il est même constant que le Gulf stream, en parcourant le détroit de Davis, la mer de Baffin, le détroit de Smyth, le canal de Kennedy, le détroit de Robeson jusqu'à l'océan paléocrystique de Nares, réchauffe le littoral ouest du Groenland, et la température y atteint parfois dix-huit degrés. C'est pour cette raison que les principales stations se sont établies sur cette contrée à Julianahaab, à Jakobshavn, à Godthaab, chef-lieu du Groenland du Nord, à Godhavn, sur l'île Disko, chef-lieu du Groenland du Sud, port le plus fréquenté de ces parages. En quelques endroits, le sol peut justifier cette qualification de Terre Verte, donnée à ce morceau du Nouveau Continent. Ce sol des jardins y nourrit quelques légumes, il y pousse certaines graminées, alors que, vers l'intérieur, le botaniste ne récolterait que mousses et phanérogames. Là, sur ce littoral, sous la glace dissoute, apparaissent les pâturages, ce qui permet d'entretenir quelque bétail. Certes, on n'y compterait ni les bœufs ni les vaches par centaines. Mais les chèvres d'une endurance toute rustique, d'une acclimatation si complaisante, s'y rencontrent, et aussi les poules au milieu de ces froides basses-cours, sans oublier les rennes et les chiens, dont on ne comptait pas moins de dix-huit cents, il y a une vingtaine d'années.

Puis, après deux ou trois mois d'été, tout au plus, l'hiver revient avec ses interminables nuits, les rudes courants atmosphériques partis des régions polaires, ses épouvantables chasse-neige qui embrouillent l'espace. Sur la carapace qui recouvre le sol voltige une sorte de poussière grise, dite poussière de glace, cette cryokonite, semée de plantes microscopiques, dont Nordenskiold recueillit les premiers échantillons, provenant peut-être, suivant l'observation de certains savants, des météorites qui sillonnent l'atmosphère de notre planète.

Y aurait-il donc encore à déduire de là que les astéroïdes, étoiles filantes – et, on le répète, à travers l'atmosphère terrestre, il en passe non moins d'un milliard en vingt-quatre heures – affectionnent[1] cette partie de notre globe, ce qui expliquerait pourquoi le bolide Forsyth-Hudelson allait précisément y tomber ?...

Mais, de ce que sa chute ne se produirait pas à l'intérieur de la grande terre groenlandaise, il ne s'en suivait pas que la possession en fût assurée aux intéressés, dans l'espèce le Danemark. Pendant la traversée, son représentant, M. de Schack, s'était maintes fois entretenu à ce sujet avec Francis Gordon. On le sait, ils causaient souvent ensemble. Francis Gordon lui avait fait connaître sa situation entre les deux rivaux, M. de Schack ne cachait point les sympathies que lui inspirait ce jeune homme, et peut-être pourrait-il intervenir en cette affaire, et décider le gouvernement danois à réserver à M. Dean Forsyth comme au docteur Hudelson une certaine part de ces trillions célestes.

---

1. J. Verne avait d'abord écrit – sans le rayer : « tombent plus volontiers sur ».

«Mais, ajoutait-il, que nous mettions la main sur le trésor, rien n'est moins sûr, à mon avis...

— Cependant, répondait Francis Gordon, si les calculs des astronomes sont exacts...

— Sans doute, avait déclaré M. de Schack, et j'admets volontiers qu'ils le sont mais à une ou deux lieues près. Or, ici, nous ne disposons que d'une étendue de sol très restreinte, et les chances sont singulièrement grandes pour que le bolide aille s'engouffrer là où personne ne pourra en prendre possession...

— Eh! s'était écrié Francis Gordon, qu'il se perde donc dans le plus profond des abîmes, si sa perte doit réconcilier le docteur et mon oncle! Ils n'auront plus rien à prétendre sur ce damné météore, pas même l'honneur de lui donner leur nom!

— Eh! monsieur Gordon, s'était à son tour écrié le délégué danois, ne faisons pas si bon marché de notre bolide!... Après tout, il vaudrait bien qu'on le regrettât!... Mais, je l'avoue, j'ai des inquiétudes, et je crains que l'événement ne les justifie!...»

En effet, la situation d'Upernavik était bien faite pour inquiéter M. de Schack. Cette station ne se trouve pas seulement au bord de la mer, c'est la mer qui l'entoure de toutes parts. Upernavik est une île au milieu d'un nombreux archipel d'îlots, semés le long du littoral groenlandais. Elle n'a pas dix lieues de tour, et, on en conviendra, ne présentait qu'une étroite cible au boulet aérien. S'il ne l'atteignait avec une justesse un peu bien extraordinaire, s'il passait à côté du but, ce serait les eaux de la mer de Baffin qui le recevraient et se refermeraient sur lui! Et elles sont profondes en ces parages hyperboréens, et c'cst à mille ou deux milles mètres que la sonde en atteint le fond sous-marin!... Allez donc repêcher dans un tel abîme une masse qui pèse douze cent soixante mille tonnes!... En vérité, mieux voudrait qu'elle se précipitât sur les vastes contrées de l'intérieur où il ne serait pas absolument impossible de la retrouver! Et mieux eût valu également que la chute eût dû se produire quelques degrés plus bas sur cette côte, par exemple à Jakobshavn, ce port au large duquel le *Mozik* venait de passer en remontant jusqu'à Upernavik, dont la latitude, 67°15 Nord, dépasse le Cercle polaire arctique.

Là, en effet, au nord, au sud, à l'est de ce port se développent les immenses plaines groenlandaises. Là, peut relâcher toute une flotte, là les baleiniers, qui exploitent la mer de Baffin et le détroit de Davis, ont, pendant six mois, un refuge assuré contre les mauvais temps du large... Là, durant l'été, si court qu'il soit, la verdure se dégage des neiges de l'hiver. Enfin Jakobshavn est la plus importante station de l'inspectorat du Nord ; c'est plus qu'un hameau, c'est une bourgade tout comme Godhavn de l'île Disko. Les approvisionnements n'y manquent point au cours de la belle saison... Il est vrai, les navires à destination d'Upernavik, qui venaient d'y transporter plusieurs milliers de curieux, s'étaient pourvus de vivres en conséquence, pour un séjour qui ne durerait certainement pas plus d'une quinzaine. Il était probable que les passagers ne quitteraient le bord que le jour où le bolide serait signalé sur un point quelconque de l'île.

Enfin le *Mozik* et une dizaine d'autres bâtiments américains, anglais, français, allemands, russes, norvégiens, danois, steamers affrétés en vue de ce voyage au littoral groenlandais, se trouvaient à Upernavik. À quelques milles de la station, vers l'est, se découpaient les hauts sommets des montagnes de l'intérieur. En avant, se dressait la brusque arête des falaises, là où finissent les terrains éruptifs du Groenland.

Ce qui est à noter, c'est que le soleil ne se lève ni ne se couche à cette latitude pendant quatre-vingts jours de l'année. On y verrait donc clair pour rendre visite au météore, et, si une bonne chance l'amenait aux environs de la station, c'est de loin que les regards l'apercevraient, tout étincelant sous les rayons de l'astre radieux !

Dès le lendemain de l'arrivée, ce fut une foule composée d'éléments très divers, qui se répandit autour des quelques maisonnettes en bois d'Upernavik, dont la principale arbore le pavillon danois aux (blanches et rouges)[2] couleurs. Jamais Groenlandais et Groenlandaises n'avaient vu tant de monde affluer sur leurs lointains rivages. Le nom indigène de ces

---

2. Laissé en blanc dans le manuscrit.

peuplades est Kalalits ou Karalits de la race Eskimau, dont le nombre peut être estimé à vingt mille. Depuis que les frères Moraves leur ont donné l'instruction religieuse, on en compte six mille qui sont convertis au catholicisme.

Des types assez curieux, ces Groenlandais, principalement sur la côte occidentale ; les hommes, petits ou de moyenne taille, trapus, vigoureux, courts de jambes, mains et attaches fines, carnation d'un blanc jaunâtre, figure large et aplatie, presque sans nez, yeux bruns et légèrement bridés, chevelure noire et rude qui leur retombe sur la face, ressemblant quelque peu à leurs phoques, dont ils ont la physionomie douce, et comme ces animaux, garantis contre le froid par la graisse. Vêtements à peu près les mêmes pour les hommes et les femmes, bottes, pantalons, « amaout » ou capuche ; mais celles-ci, gracieuses et rieuses dans la jeunesse, relèvent leurs cheveux en cimier, s'affublent d'étoffes modernes, s'ornent de rubans multicolores. Du reste, la mode du tatouage a disparu sous l'influence des missionnaires, et les deux sexes aiment avec passion le chant et la danse. Ces indigènes sont voraces. Dix kilogrammes de nourriture par jour, ils les absorberaient volontiers ; mais ils sont réduits à vivre de venaison, de chair de phoques, de poisson, de baies d'algues et de fucus comestibles. Quant à la boisson, l'eau-de-vie n'y entre que pour une faible part, et on n'en boit qu'une fois l'an à la fête du roi Christian IX.

On le comprend, l'arrivée d'un tel nombre d'étrangers à l'île Upernavik fut bien pour surprendre les quelques centaines d'indigènes qui habitent l'île. Et lorsqu'ils apprirent la cause de cette affluence, leur surprise ne diminua pas, bien au contraire. Ils n'en étaient plus, ces pauvres gens, à ignorer la valeur de l'or. Mais l'aubaine ne serait point pour eux. Si les milliards s'abattaient sur leur sol, ils n'iraient pas remplir leur poche, bien que les poches ne manquent point au vêtement groenlandais, qui n'est point celui des Polynésiens, et pour cause. Cependant, ils ne devaient pas se désintéresser de l'« affaire » qui amenait tant de voyageurs sur cette partie de l'archipel. Quelques familles eskimaudes quittèrent même Godhavn,

Jacobshavn et autres ports du détroit de Davis pour se transporter à Upernavik. Et qui sait, après tout, si le Danemark tant emmilliardé n'étendrait pas à son domaine colonial du Nouveau Continent les bienfaits, les avantages, dont allaient profiter ses sujets européens ?...

Du reste, il commençait à être temps qu'il se produisît, le dénouement de ladite affaire, et, cela, pour plusieurs raisons.

D'abord, si d'autres steamers arrivaient encore sur ces parages, le port d'Upernavik ne suffirait plus à les contenir, et quels refuges trouveraient-ils au milieu de cet archipel ?...

Ensuite, le mois d'août allait s'ouvrir dans quelques jours, les bâtiments ne pouvaient s'attarder sous une latitude si élevée. Septembre, c'est l'hiver, puisqu'il ramène les glaces des détroits et des canaux du nord, et la mer de Baffin ne tarde pas à devenir impraticable. Il faut fuir, il faut sortir de ces parages, il faut laisser en arrière le cap Farewell, sous peine d'être pris dans les embâcles pour les sept ou huit mois des rudes hivers de l'océan Arctique.

Si donc, le bolide ne se décidait pas, pendant la première quinzaine d'août, à choir aux environs d'Upernavik, les steamers seraient bien forcés de quitter la place, car il ne venait à la pensée d'aucun de leurs passagers d'hiverner dans de telles conditions.

Qui sait, cependant, si M. Dean Forsyth et Omicron, si le docteur Hudelson consentiraient à partir, s'ils ne s'entêteraient pas à attendre leur bolide, si Francis Gordon parviendrait à leur faire entendre raison à ce sujet ! Assurément, si l'un restait, l'autre ne voudrait-il pas rester aussi ?...

Cependant, un raisonnement s'imposait, et M. de Schack, à l'occasion, l'avait fait devant eux sur la recommandation de Francis Gordon qui ne pouvait avoir l'influence d'un représentant du gouvernement danois, membre de la Commission internationale :

« Si le météore n'est pas tombé entre le 7 et le 15 août, comme l'ont indiqué les astronomes de Boston, c'est que les astronomes de Boston ont fait erreur... Et s'ils ont fait erreur sur l'époque, pourquoi ne se seraient-ils pas trompés sur le lieu ?... »

C'était l'évidence. Nul doute que certains éléments eussent manqué aux calculateurs officiels pour obtenir des résultats précis. Et si, au lieu de tomber sur les parages d'Upernavik, le bolide allait prendre contact avec quelque autre point du globe terrestre situé sous sa trajectoire?...

Et lorsqu'il entrevoyait cette éventualité, M. de Schack sentait un frisson lui courir dans le dos!

Il va sans dire que, pendant ces longues heures, les curieux faisaient de longues promenades à travers l'île. Son sol rocheux, presque plat, rehaussé seulement de quelques tumescences dans sa partie médiane, se prêtait facilement à la marche. Çà et là s'étendaient des plaines que recouvrait un tapis plus jaune que vert, où poussaient des arbustes qui ne deviendraient jamais des arbres, quelques séquoias rabougris, de ces bouleaux blancs qui poussent encore au-dessus du soixante-douzième parallèle, des mousses, des herbes, des broussailles.

Quant au ciel, il était généralement brumeux, et le plus souvent de gros nuages bas le traversaient sous le souffle des brises de l'est. La température ne dépassait guère quelques degrés au-dessus de zéro. Aussi les passagers étaient-ils heureux de retrouver à bord de leurs navires un confort que le village n'aurait pu leur offrir et une nourriture qu'ils n'eussent trouvée ni à Godhavn ni en aucune autre station du littoral.

Par malheur, à travers cette masse de vapeurs, il était difficile d'apercevoir le bolide à son passage. Sa vitesse continuait-elle à s'amoindrir?... Diminuait-elle, la distance qui le séparait de la terre?... Sa chute serait-elle prochaine?... Autant de questions d'une extrême gravité que les plus savants de ces curieux n'auraient pu résoudre! Il semblait bien (présent)[3] cependant, à de certaines lueurs qui se montraient derrière les nuages, traçant une ligne du nord-est au sud-ouest. Certains sifflements que l'oreille percevait au milieu de la brise, prouvaient que le météore décrivait toujours son orbite dans l'espace. Mais, en vérité, depuis trois

---

3. Mot absent, qui paraît nécessaire.

jours que le *Mozik* avait pris son mouillage, l'impatience commençait à gagner ses passagers, et surtout l'inquiétude qu'ils eussent inutilement fait un pareil voyage.

L'un de ceux auquel le temps paraissait le moins long, était sûrement M. Seth Stanfort. Il savait comme on dit « se tenir compagnie à lui-même », et, bien que quelques bonnes relations se fussent établies entre M. de Schack, Francis Gordon et lui, il ne s'ennuyait pas trop lorsque leur conversation venait à lui faire défaut. Il était venu à Upernavik en qualité de curieux, accourant volontiers là où il y avait un peu d'extraordinaire à voir. Si la chute s'effectuait, il serait heureux de contempler le météore. Si elle ne s'effectuait pas, personne n'en prendrait son parti plus volontiers que lui, et il reviendrait en Amérique, et il courrait à de nouvelles attractions, au gré de sa fantaisie et dans toute son indépendance.

Quatre jours s'étaient écoulés depuis l'arrivée du *Mozik*, lorsque, dans la matinée du 31 juillet, un dernier bâtiment fut signalé au large d'Upernavik. C'était un steamer qui se glissait à travers les îles et îlots de l'archipel pour venir prendre son mouillage.

À quelle nation appartenait ce navire ? Aux États-Unis, ainsi que l'indiqua bientôt le pavillon aux cinquante et une étoiles, qu'il portait à sa corne de brigantine.

À n'en pas douter, ce steamer annonçait un nouveau lot de curieux sur le théâtre du grand fait météorolique, des retardataires qui, d'ailleurs, n'arriveraient point en retard, puisque le globe d'or, s'il gravitait dans l'atmosphère terrestre, n'appartenait pas encore à la terre.

Mais peut-être ce steamer, qui venait évidemment de l'un des ports américains, apportait-il aussi quelque nouvelle relative au bolide ?... Qui sait si les astronomes n'avaient pas obtenu des calculs plus précis, sinon sur le lieu, du moins touchant la date de la chute ?...

Et, le toujours désolé Francis Gordon, de se répéter :

« Si la bonne chance voulait qu'il retournât là d'où il est venu, ce maudit météore, mon oncle et le docteur finiraient par n'y plus penser et alors... »

Mais si c'était le secret désir du jeune homme, ni M. Forsyth ni M. Hudelson ne le partageaient, on peut en être sûr, ni M. de Schack, ni personne des curieux venus sur cette île.

Vers onze heures du matin, le steamer *Orégon* laissait tomber son ancre au milieu de la flottille. Un canot s'en détachait et mettait à terre un des passagers, sans doute plus pressé que ses compagnons de voyage.

C'était, en effet, un des astronomes de l'observatoire de Boston, M. Wharf, qui se fit conduire chez le chef de l'inspectorat du Nord, alors en tournée à Upernavik. Celui-ci prévint aussitôt M. de Schack, et le délégué du Danemark se rendit à la maisonnette au toit de laquelle se déployait le pavillon national.

L'anxiété fut grande, et chacun eut le pressentiment que le passager de l'*Orégon* apportait quelque importante nouvelle !... Est-ce que le bolide, par hasard, allait fausser compagnie à tout ce monde, et « filer à l'anglaise » vers d'autres parages célestes, selon le vœu de Francis Gordon ?...

On fut bientôt rassuré à cet égard. Il s'agissait bien d'une nouvelle, ou plutôt d'une information qui satisferait la curiosité générale et que l'inspecteur fit parvenir à bord de tous les navires.

Grâce aux dernières observations sur la marche du météore, la précision des calculs avait été poussée plus loin « jusqu'aux quatrièmes ou cinquièmes décimales » eût dit un mathématicien. Ils ne modifiaient en rien ce qui concernait la chute aux environs d'Upernavik, mais ils réduisaient le laps de temps antérieurement fixé entre le 7 et le 15 août... L'écart ne compterait plus dix jours, trois seulement, et ce serait du 3 au 5 que le bolide tomberait sur l'île à la grande joie des spectateurs et pour le plus grand profit du Danemark.

« Enfin !... enfin !... il ne nous échappera pas ! », s'écrièrent, chacun de son côté, M. Forsyth et le docteur Hudelson.

Et, ce que le délégué de la Commission internationale reçut de compliments ne saurait se chiffrer ! On le saluait comme s'il eut été le seul propriétaire du météore, et plus bas que ne furent jamais salués les milliardaires américains !... Et, en effet, n'était-ce pas un trillionnaire, en qui s'incarnait la race danoise ?...

On était au 31 juillet. Dans quatre-vingt-seize heures au plus tôt, mais dans cent heures au plus tard, le tant désiré bolide reposerait sur la terre groenlandaise...

« À moins qu'il ne s'en aille par le fond ! », murmurait Francis Gordon, seul, d'ailleurs, à concevoir cette pensée et à formuler cette espérance !

Mais que l'affaire dût, ou non, avoir ce dénouement, que le météore et le globe terrestre dussent ou non se rencontrer pour ne plus se séparer jamais, il y a lieu de noter qu'il se produisit une autre rencontre qui serait sans doute suivie d'une nouvelle séparation.

M. Seth Stanfort se promenait sur la plage pour assister au débarquement des passagers de l'*Orégon*, lorsqu'il s'arrêta soudain à la vue d'une passagère au moment où une des embarcations la déposait sur le sable.

Seth Stanfort redressa la tête, s'assura que ses yeux ne le trompaient pas, s'approcha, et d'une voix qui dénotait une surprise où ne se sentait aucun déplaisir :

« Mistress Arcadia Walker, si je ne fais point erreur, dit-il.

— M. Stanfort ! répondit la passagère.

— Je ne m'attendais pas, mistress Arcadia, à vous revoir sur cette île lointaine...

— Et moi, pas davantage, monsieur Stanfort...

— Et comment vous portez-vous, mistress Arcadia ?...

On ne peut mieux, monsieur Stanfort... Et vous-même ?...

— Très bien, parfaitement bien ! »

Et ils se mirent à causer comme deux anciennes connaissances qui viennent de se retrouver par un pur hasard.

Puis, tout d'abord, mistress Arcadia Walker de demander, en levant sa main vers l'espace :

« Il n'est pas encore tombé ?...

— Non... rassurez-vous, pas encore... mais, d'après ce que je viens d'apprendre, cela ne saurait plus tarder...

— Je serai donc là... dit mistress Arcadia Walker avec une vive satisfaction.

— Comme j'y suis moi-même ! », répondit M. Seth Stanfort.

Décidément, c'étaient deux personnes distinguées, deux personnes du monde, et pourquoi ne pas dire deux anciens amis que le même sentiment de curiosité venait de réunir sur cette plage d'Upernavik. On le sait, après leur seconde visite au juge de paix de Whaston, ils s'étaient séparés sans aucun reproche, sans aucune récrimination, deux époux qui ne se convenaient pas, et s'étaient séparés amiablement... M. Seth Stanfort avait voyagé de son côté, Mrs Arcadia Walker du sien... La même fantaisie les avait amenés tous les deux sur cette île groenlandaise, et pourquoi auraient-ils affectés de ne point se reconnaître, de ne pas se connaître ?... N'y a-t-il rien de plus vulgaire, de moins comme il faut, que la bouderie réciproque de deux êtres qui ont, en somme, conservé une véritable estime l'un pour l'autre ?...

Certes, Mrs Arcadia Walker n'avait point trouvé en Seth Stanfort son idéal, mais, très probablement, elle ne l'avait encore rencontré nulle part... Personne ne l'avait sauvée au péril de sa vie, comme elle eût désiré l'être. Quant à son ancien mari, il avait conservé d'elle un excellent souvenir, celui d'une personne intelligente, originale, qui n'avait que le seul tort d'être sa femme.

Donc, ces premiers propos échangés, sans faire d'allusion sur un passé qui datait de deux grands mois déjà, M. Seth Stanfort se mit à la disposition de Mrs Arcadia Walker. On ignorait qu'ils avaient été mari et femme, et il n'y aurait aucune raison de le dire. Ce seraient un ami et une amie qu'une heureuse fortune aurait destinés à se rencontrer au-delà du soixante-treizième degré de latitude septentrionale.

Mrs Arcadia Walker accepta très volontiers les services de M. Seth Stanfort, et il ne fut plus question entre eux que du phénomène météorologique dont le dénouement était si prochain.

La nouvelle apportée par l'*Orégon* produisit un effet énorme. Non seulement l'attente serait moins longue – pas même une centaine d'heures – mais il semblait qu'on devait accorder maintenant toute créance aux calculs des astronomes. Et puisqu'à une demi-journée près, pourrait-on dire, ils annonçaient la chute du bolide, il n'y avait pas à douter non plus que ce fût dans ces parages groenlandais.

« Pourvu que ce soit bien sur l'île ! pensait M. Dean Forsyth.

— Et non à côté ! », pensait le docteur Hudelson.

Et l'on voit dans quelle commune préoccupation, qui était aussi celle de M. de Schack, ils se rencontraient tous deux.

En effet, c'était là le seul point un peu inquiétant.

Le 1er et le 2 août s'écoulèrent sans aucun incident. Par malheur, le temps devenait mauvais, la température commençait à baisser sensiblement, et peut-être cet hiver serait-il précoce. Les montagnes du littoral étaient blanches de neige, et lorsque le vent soufflait de ce côté, on le sentait si âpre, si pénétrant qu'il fallait se mettre à l'abri dans les salons des navires. Il n'y aurait donc pas lieu de s'attarder sous de pareilles latitudes, et, leur curiosité satisfaite, les curieux reprendraient volontiers les routes du sud.

Seul, sans doute, le délégué danois devrait rester à la garde du trésor, jusqu'au jour où son gouvernement en aurait opéré l'enlèvement. Et qui sait si, entêtés à faire valoir leurs réclamations, les deux rivaux ne voudraient pas demeurer avec lui. Voilà bien ce qui préoccupait Francis Gordon, cette perspective d'un long hivernage dans de telles conditions. Et il songeait à la pauvre Jenny, à sa mère, à sa sœur, à tous ces êtres chers qui comptaient les heures en attendant leur retour !

Dans la nuit du 2 au 3 août, ce fut une véritable tempête qui se déchaîna sur l'archipel. Vingt heures avant, l'astronome de Boston avait bien pu constater le passage au-dessus de l'île du bolide, dont la vitesse de translation diminuait sans cesse. Mais, à quelle hauteur, l'état de l'atmosphère avait empêché de le reconnaître. Et telle était la violence de la tourmente, que quelques braves curieux se demandaient si elle n'allait point « emporter le bolide au diable » !

Il fut impossible de demeurer à terre, et les maisonnettes d'Upernavik n'auraient pu loger tout ce monde. Donc, nécessité de se confiner à bord des bâtiments et il fut heureux que les rafales vinssent de l'est, car, à venir du large, aucun d'eux n'aurait pu tenir sur ses ancres.

Aucune accalmie ne se manifesta dans la journée du 3 août, et la nuit qui suivit fut tellement troublée que le capitaine du *Mozik* éprouva de graves inquiétudes pour son navire, tout comme celui de l'*Orégon*. Toute communication eût été impossible entre les deux navires, bien qu'ils fussent mouillés à une demi-encâblure l'un de l'autre.

Cependant, au milieu de la nuit du 3 au 4 août, la tourmente parut diminuer. Si elle s'apaisait dans quelques heures, tous les passagers en profiteraient certainement pour se faire mettre à terre. Ce 4, n'était-ce pas la date presque exactement fixée pour la chute ?...

Et ne voilà-t-il pas que vers sept heures du matin, une sorte de coup sourd se fit entendre, et si rude que l'île en trembla sur sa base...

Un indigène venait d'accourir à la maison occupée par M. de Schack, et il apportait la grande nouvelle...

Le bolide était tombé sur la pointe nord-ouest de l'île Upernavik !

XVI

Que le lecteur lira peut-être avec quelque regret, mais que la vérité historique a obligé l'auteur à l'écrire tel qu'il est et tel que l'enregistreront les annales météoritiques.

Assurément, depuis le déluge, il est bien des nouvelles qui ont eu dans le monde un retentissement immense, mais non point supérieur au bruit que fit – moralement tout au moins – la chute du météore sur l'île Upernavik. Il est vrai, en Amérique et en Europe, elle ne fut connue que quelques jours plus tard, lorsque le croiseur, qui prit la mer ce jour même, l'eut envoyée au premier sémaphore de la Nouvelle-Bretagne, lequel la lança aussitôt à travers l'Ancien et le Nouveau Continent.

Mais ici, à Upernavik, une minute suffit pour la répandre sur toute l'île et à bord de la dizaine de navires mouillés dans l'archipel.

En un instant, les passagers eurent débarqué, M. Dean Forsyth, M. Hudelson, des premiers, suivis d'Omicron, avec un empressement tout paternel pour voir cet enfant, dont chacun d'eux revendiquait la paternité. Inutile d'ajouter que Francis Gordon les accompagnait, prêt à s'interposer, s'il le fallait. En réalité, M. Forsyth et M. Hudelson maintenant en voulaient bien plus au gouvernement danois qu'ils ne s'en voulaient à eux-mêmes. Est-ce que ce gouvernement ne prétendait pas méconnaître leurs droits de découvreurs?...

M. Seth Stanfort, lui, dès qu'il eut pris terre, se porta à la rencontre de Mrs Arcadia Walker qu'il n'avait plus revue pendant ces trois jours de mauvais temps. Et n'était-il pas naturel, dans les termes d'amitié où ils se trouvaient actuellement, qu'ils allassent ensemble à la découverte du bolide?...

«Enfin... il est tombé, monsieur Stanfort, dit Mrs Arcadia Walker, dès qu'il l'eut rejointe.

— Enfin, il est tombé... répondit-il.

— Enfin... il est tombé!», avait répété et répétait encore toute cette foule qui se dirigeait vers la pointe nord-ouest de l'île.

Deux personnages avaient cependant une avance d'un quart d'heure sur la masse des curieux : c'étaient M. de Schack et l'astronome de Boston, directement partis de la station danoise où ils logeaient depuis leur arrivée.

«Le délégué va être le premier à prendre possession du bolide!... murmurait M. Forsyth.

— Et à mettre la main dessus! murmurait le docteur Hudelson.

— La main dessus?... Qui sait?... répondait Francis Gordon, sans donner la raison qui lui faisait émettre ce doute.

— Mais cela ne nous empêchera pas de faire valoir nos droits!... s'écria M. Dean Forsyth.

— Non, certes!», déclara M. Stanley Hudelson.

On le voit, à l'extrême satisfaction du neveu de l'un et de l'ancien futur gendre de l'autre, leurs intérêts se confondaient dans la même haine contre les prétentions du roi Christian et de ses deux millions de sujets scandinaves.

Par suite d'un heureux concours de circonstances, l'état atmosphérique s'était entièrement modifié entre trois et quatre heures du matin. La tourmente avait cessé, à mesure que le vent retombait vers le sud. Si le soleil ne s'élevait que de quelques degrés à l'horizon au-dessus duquel il décrivait encore sa courbe diurne, du moins brillait-il à travers les derniers nuages amincis par son rayonnement. Plus de pluie, plus de rafales, un temps clair, un espace tranquille, une température qui se tenait entre huit et neuf degrés au-dessus du zéro centigrade.

Et, parmi ces passagers venus de l'Europe et de l'Amérique, il s'en trouvait d'assez « groenlandais » pour dire :

« Assurément, c'est l'approche du météore qui troublait l'atmosphère, c'est sa proximité de notre globe qui se faisait sentir, et depuis sa chute, le beau temps est revenu. »

Entre la station et la pointe, on pouvait compter une grande lieue dans la direction du nord-ouest, et qu'il faudrait franchir à pied. Ce n'est pas Upernavik qui eût pu fournir un véhicule quelconque. Du reste, le cheminement se ferait sans trop de peine sur un sol assez plat, de nature rocheuse, dont le relief ne s'accusait sérieusement qu'au voisinage du littoral. Là s'élevaient quelques falaises qui s'abaissaient vers la mer.

C'était précisément au-delà de ces falaises que le bolide avait pris contact, et, de la station, on ne pouvait l'apercevoir.

L'indigène, qui, le premier, apporta la grande nouvelle, marchait en tête de la foule, suivi de près par MM. Forsyth, Hudelson, Omicron, M. de Schack et l'astronome de Boston.

Un peu en arrière, Francis Gordon observait son oncle et le docteur, désireux de les laisser à eux-mêmes, mais impatient de voir l'impression que leur ferait la vue du météore... de leur météore !

Francis Gordon cheminait, d'ailleurs, avec M. Seth Stanfort et Mrs Arcadia Walker. Les deux ex-époux n'oubliaient point les heures passées à Whaston lors de leur mariage, et ils étaient au courant de la rupture des deux familles et des conséquences de cette rupture. Tous deux s'intéressaient sincèrement à la pénible situation de Francis Gordon et lui souhaitaient un heureux dénouement.

« Cela s'arrangera, ne cessait de répéter Mrs Arcadia Walker.

— Je l'espère, répondait Francis.

— Mais peut-être eût-il été préférable que le bolide se fût perdu au fond des mers... observait M. Seth Stanfort.

— Oui... pour tout le monde ! déclarait Mrs Arcadia Walker avec grand sens.

Et elle répéta :

— Ayez confiance, Monsieur Gordon, et tout s'arrangera !... Un peu de difficultés, d'embarras, d'inquiétudes, ne messied pas avant le mariage !... Lorsque les unions se font trop facilement, elles risquent de se défaire de même !... N'est-il pas vrai, monsieur Stanfort ?...

— Sans doute, mistress Walker, et nous pouvons servir d'exemple ! Vous rappelez-vous, à cheval, et sans mettre pied à terre, mariés par ce digne juge de paix, qui n'a pas paru très étonné, ce qui dénote un sage !... Oui, cela s'est effectué de la sorte... et le temps de rendre la main...

— Que nous nous sommes rendus six semaines après !... répondit en souriant Mrs Arcadia Walker. Eh bien, monsieur Gordon, pour ne point vous être marié à cheval avec miss Jenny Hudelson, vous n'en serez que plus sûr d'atteindre le bonheur ! »

Inutile de dire que, au milieu de cette foule de curieux, de cet exode de passagers, M. Seth Stanfort, Mrs Arcadia Walker et Francis Gordon devaient être les seuls à ne point se préoccuper, en ce moment, du météore, à n'en point parler, à philosopher comme l'eût probablement fait M. John Proth.

Tous allaient d'un bon pas. Il n'y avait point de route à suivre, rien qu'un plateau semé de maigres arbustes, et d'où s'échappaient nombre d'oiseaux plus troublés qu'ils ne l'avaient jamais été aux environs d'Upernavik.

En une demi-heure, trois quarts de lieue furent enlevés, et il ne restait plus qu'un millier de mètres à franchir. Mais le bolide se dérobait encore aux regards derrière les extrêmes pans de la falaise. Qu'il fût à cette place, depuis le matin, personne n'en aurait voulu douter. On ne pouvait admettre que le Groenlandais eût fait erreur. Il était là, à moins d'un demi-quart de lieue, au moment de la chute. Il en avait entendu le bruit, et bien d'autres, quoique de plus loin, l'avaient entendu aussi.

En outre, un phénomène se produisait dont l'effet se ressentait déjà, et qui ne laissait pas d'être assez singulier. La température de l'air tendait à remonter. Assurément, dans le voisinage de cette pointe nord-ouest de l'île, le thermomètre eût marqué plusieurs degrés de différence avec la station d'Upernavik. C'était très sensible, et même la chaleur s'accusait plus vivement à mesure que l'on approchait du but.

«Est-ce que l'arrivée de ce bolide aurait, non seulement modifié le temps sur ces parages, mais apporté des changements au climat de l'archipel?... dit en riant M. Stanfort.

— Ce serait fort heureux pour les Groenlandais! répondit sur le même ton Mrs Arcadia Walker.

— Il est probable que le globe d'or est encore à l'état incandescent, fit observer Francis Gordon, et la chaleur qu'il dégage se fait sentir dans un certain rayon...

— Bon!... s'écria M. Seth Stanfort, est-ce qu'il nous faudra attendre qu'il se refroidisse?...

— Son refroidissement eût été bien plus rapide s'il fût tombé en dehors de l'île au lieu de tomber dessus!», répondit Francis Gordon, revenant à une idée qui eût fait bondir d'indignation son oncle et le docteur Hudelson.

Mais les deux rivaux ne pouvaient l'entendre. Omicron et eux avaient pris de l'avance; ils commençaient déjà à s'éponger le visage, et on pouvait tenir pour certain que l'un n'arriverait pas avant l'autre.

Du reste, M. de Schack et M. Wharf, l'astronome, transpiraient également, et toute la foule et tous les Groenlandais qui ne s'étaient jamais trouvés à pareille fête.

Encore cinq cents pas, et au détour de la falaise, le météore apparaîtrait aux mille regards qui se concentreraient sur lui, et dans toute son éblouissante splendeur.

Et qui sait?... Peut-être serait-il impossible d'en soutenir l'éclat, et même d'en approcher?...

Enfin le guide indigène s'arrêta en arrière de l'extrême pointe de l'île. Il était évident qu'il ne pouvait s'avancer davantage.

M. Forsyth, M. Hudelson et Omicron l'eurent rejoint en un instant et firent halte près de lui. Puis, ce furent M. de Schack, M. Wharf, M. Seth Stanfort, Mrs Arcadia Walker, Francis Gordon, enfin toute cette masse de curieux que la flottille avait versée sur les parages de la mer de Baffin.

Oui! impossible d'aller plus loin, ou plus près, pour être exact, et le bolide était encore à cinq cents pas de là!...

C'était bien la sphère d'or qui traversait depuis quatre mois l'atmosphère où la retenait l'attraction terrestre. Elle ne rayonnait plus comme au temps où elle traçait son orbite dans les hautes zones de l'espace! Mais, tel était son éclat que les yeux ne pouvaient le soutenir. Sa température, comme celle de la pierre brûlante tombée en 1768, devait être portée à un degré voisin du point de fusion – température qui avait dû s'élever, à mesure qu'elle rencontrait les couches plus denses de l'atmosphère, bien que la diminution de sa vitesse l'eût déjà amoindrie. Mais si l'extraordinaire bolide était insaisissable alors qu'il décrivait sa trajectoire à travers l'espace, il semblait bien qu'il ne le fût pas moins, maintenant qu'il reposait sur le sol terrestre.

En cet endroit, le littoral se formait d'une sorte de plateau, un de ces rochers désignés sous le nom d'unalak en langue indigène. Incliné vers le large, il s'élevait d'une trentaine de pieds au-dessus du niveau de la mer. C'était presque sur le bord de ce plateau que le bolide avait pris contact. Quelques mètres à gauche, et il se fût englouti dans les abîmes où plongeait le pied de la falaise.

«Oui! ne put s'empêcher de dire Francis Gordon, oui! à vingt pas de là, il était par le fond...

— D'où on ne l'aurait point retiré... ajouta Mrs Arcadia Walker.

— Mais M. de Schack ne le tient pas, déclara M. Seth Stanfort, et il s'en faut qu'il soit encaissé par le roi Christian!»

En effet, mais il y serait un jour ou l'autre. Question de patience, tout simplement. Il suffirait d'attendre le refroidissement, et avec les approches d'un hiver arctique, cela ne tarderait guère.

M. Dean Forsyth et M. Stanley Hudelson étaient là, immobiles, hypnotisés pour ainsi dire par la vue de cette masse d'or qui leur brûlait les yeux. Tous deux avaient essayé de se porter en avant, et tous deux avaient dû reculer, aussi bien que l'impatient Omicron qui, dix pas de plus, eût été rôti comme un rosbeef! À cette distance de cinq cents pas, la température atteignait soixante degrés et la chaleur qui se dégageait du météore rendait l'air irrespirable.

« Mais enfin... il est là... il est là... il repose sur l'île... il n'est pas au fond de la mer !... Il n'est pas perdu pour le monde... il est aux mains de cet heureux Danemark !... Attendre... il suffira d'attendre... »

Ainsi se répétaient les curieux que la suffocante chaleur maintenait à ce tournant de la falaise !

Oui ! attendre... mais combien de temps ? Que l'on fût au-delà du soixante-treizième parallèle, que l'hiver boréal dût, dans quelques semaines, jeter sur ces parages son cortège de rafales glacées, ses tempêtes de neige, abaisser la température à cinquante degrés au-dessous de zéro, à ce sujet aucun doute. Mais le bolide ne résisterait-il pas un mois, deux mois au refroidissement ?... De telles masses métalliques, soumises à de telles chaleurs, peuvent longtemps rester brûlantes, et cela s'est souvent rencontré pour des aérolithes, des météorites de volume infiniment moindre !...

Trois heures se passèrent, et personne ne songeait à quitter la place. Voulait-on attendre qu'il fût possible d'approcher du bolide ! Mais ce ne serait ni aujourd'hui ni demain assurément, et, à moins d'établir un campement en cet endroit, d'y apporter des vivres, il faudrait bien retourner aux navires...

« Monsieur Stanfort, dit Mrs Arcadia Walker, pensez-vous que quelques heures suffiront à refroidir ce bloc incandescent ?...

— Ni quelques heures ni quelques jours, mistress Walker !

— Eh bien, je vais retourner à bord de l'*Orégon*, quitte à revenir dans l'après-midi...

— Faisons donc route ensemble, proposa M. Stanfort, puisque je vais retourner à bord du *Mozik*. L'heure du déjeuner a sonné, je pense...

— C'est mon avis, répondit Mrs Walker, et si c'est égale-ment celui de M. Francis Gordon...

— Sans doute, mistress Walker, répliqua le jeune homme, mais laisser seuls le docteur Hudelson et mon oncle... Voudront-ils m'accompagner ?... Je crains qu'ils ne s'y refusent... »

Et, allant à M. Dean Forsyth :

« Venez-vous, mon oncle ? » demanda-t-il.

M. Dean Forsyth, sans répondre, fit une dizaine de pas en avant, et dut reculer précipitamment comme s'il se fut aventuré devant la gueule d'un four.

Le docteur Hudelson qui l'avait suivi, revint avec non moins de hâte.

« Voyons, mon oncle, reprit Francis Gordon. Voyons, monsieur Hudelson, il est temps de regagner le bord ! Que diable !... le bolide ne s'envolera pas maintenant !... De le dévorer des yeux, ce n'est pas cela qui vous remplira l'estomac ! »

Francis Gordon n'obtint pas même quelques mots, et se résigna. Aussi M. Seth Stanfort et Mrs Arcadia Walker reprirent-ils sans lui la route de la station, suivis de plusieurs centaines de curieux ramenés par la faim à leurs bâtiments respectifs.

Quant à M. Forsyth, à M. Hudelson, à Francis Gordon, ils ne revinrent que le soir, tombant d'inanition, et remirent leur seconde visite au lendemain.

Dès sept heures, ce 5 août, passagers, colons de la station, indigènes, M. Forsyth et le docteur au premier rang, se retrouvaient à leur poste.

Il va sans dire que le bolide était toujours là sur l'unalak, dégageant une intense chaleur. Il ne semblait pas que sa température eût baissé depuis la veille. L'air s'emplissait de ses brûlantes émanations. Si on eut été en octobre au lieu d'être en août, le sol, dans un rayon de quatre à cinq cents mètres autour de lui, n'eût pas gardé trace des neiges.

Cependant, les plus impatients, les plus obstinés – il n'est pas nécessaire de les nommer – purent se rapprocher d'une vingtaine de pas, mais une vingtaine plus loin, l'air embrasé les aurait anéantis.

Du reste, parmi ces impatients dont il est question, il n'y avait à compter ni M. Seth Stanfort ni Mrs Arcadia Walker ni même le délégué de la Commission internationale. M. de Schack savait que le Danemark n'avait point à craindre pour ses trillions. Ils étaient là aussi en sûreté que dans les caisses de l'État. On ne pouvait pas actuellement mettre la main dessus, soit, et fallût-il attendre des mois, fallût-il qu'il passât tout l'hiver boréal sur cette masse incandescente, on la laisserait tranquillement refroidir avant d'en répartir les douze cent soixante mille tonnes qu'elle représentait sur les navires envoyés d'Europe. Et, rien qu'à mille tonnes chacun, il n'en faudrait pas moins de douze cents pour les transporter à Copenhague ou autres ports danois.

Cependant, et cette observation fut faite ce matin-là par Francis Gordon, qui la communiqua à M. Seth Stanfort, lequel la rapporta à Mrs Arcadia Walker, il lui semblait bien qu'un léger changement s'était produit dans la position du bolide sur ce rocher où il gisait depuis la veille. Avait-il quelque peu glissé vers la mer ?... Sous son énorme poids, le sol ne fléchissait-il pas peu à peu, ce qui pouvait amener sa chute finale dans l'abîme ?...

«Ce serait un singulier dénouement à cette affaire qui a remué le monde !... déclara Mrs Arcadia Walker.

— Un dénouement qui ne serait peut-être pas le moins mauvais... répondit M. Seth Stanfort.

— Qui serait le meilleur !...», affirma Francis Gordon.

Or, ce que celui-ci venait de signaler, c'est-à-dire le glissement graduel du bolide du côté de la mer, tous purent bientôt le constater aussi. Plus de doute que le terrain cédât peu à peu, et si ce mouvement ne s'enrayait pas, la sphère d'or ébranlée finirait par rouler jusqu'au bord du plateau et s'engloutirait dans les profondeurs de la mer.

Ce fut un désappointement général, une indignation contre cet unalak, indigne d'avoir reçu le merveilleux bolide. Que n'était-il tombé à l'intérieur de l'île ou, de préférence, sur ces inébranlables falaises basaltiques du littoral groenlandais, où il ne risquait pas d'être à jamais perdu pour l'avide humanité !

Oui, il glissait, le météore, et peut-être ne serait-ce qu'une question d'heures, moins encore, une question de minutes, si le plateau venait à s'effondrer brusquement sous son énorme poids !...

Et ne pouvoir rien pour empêcher une pareille catastrophe, rien pour arrêter ce glissement, rien pour étayer cet insuffisant unalak jusqu'à l'enlèvement du bolide !...

Ce fut comme un cri d'épouvante qui s'échappa de la poitrine de M. de Schack lorsqu'il eut lui-même reconnu l'imminence du malheur. Adieu, cette unique occasion d'enmilliarder le Danemark !... Adieu, cette perspective d'enrichir tous les sujets du roi Christian !... Adieu, cette possibilité de racheter le Schleswig-Holstein à l'Allemagne !...

En ce qui concerne M. Dean Forsyth et le docteur Hudelson, en voyant ces premières oscillations qui allaient se changer en rotations définitives, Francis Gordon put craindre que leur raison ne vînt à se perdre... Ils tendaient les bras désespérément !... Ils appelaient au secours comme s'il eut été possible de répondre à cet appel !

« Mon bolide !... s'écriait l'un.

— Mon bolide !... s'écriait l'autre.

— Notre bolide ! », s'écrièrent-ils à l'instant où un mouvement plus prononcé rapprochait la sphère d'or de l'abîme !...

Alors, ils se précipitèrent, en même temps qu'Omicron, au milieu de cette atmosphère embrasée... Ils se rapprochèrent d'une centaine de pas, avant que M. Stanfort et Francis Gordon eussent pu les retenir ! Sentant qu'ils allaient tomber, ils se soutinrent l'un l'autre, puis s'affalèrent, inanimés sur le sol...

Francis Gordon s'était aussitôt précipité vers eux, M. Seth Stanfort n'hésita pas à le suivre... Et, sans doute, en le voyant se risquer, Mrs Arcadia Walker fut-elle épouvantée du danger que courait son ancien mari, car un cri lui échappa :

« Seth !... Seth !... »

Francis Gordon et Seth Stanfort, suivis de quelques courageux spectateurs, durent se traîner sur le sol, ramper en se mettant un mouchoir sur la bouche, tant l'air était irrespirable... Enfin, tous arrivèrent près de M. Forsyth et du docteur ; ils les relevèrent, ils les rapportèrent à cette limite qu'il n'était pas permis de franchir sous peine d'être brûlé jusque dans les entrailles...

Quant à Omicron, plus en avant de quelques pas, on eût dit qu'il flambait déjà !...

Par bonheur, ces trois victimes de leur imprudence avaient été sauvées à temps... Les soins ne leur furent point épargnés...

Ils revinrent à la vie, mais hélas! pour assister à la ruine de leurs espérances!...

Il était exactement huit heures quarante-sept du matin. Le soleil se relevait après avoir à peine effleuré l'horizon qu'il éclairait de sa lumière permanente.

Le bolide continuait à glisser lentement, soit de son mouvement propre sur ce plateau incliné, soit parce que la surface s'infléchissait peu à peu sous son poids. Il se rapprochait de l'arête au-dessous de laquelle, coupé à pic, le flanc de l'unalak s'enfonçait profondément sous les eaux.

Des cris s'élevèrent de toutes parts, et ce que devint alors l'émotion de la foule, on ne saurait l'imaginer.

«Il va tomber... il va tomber!...»

Ces mots d'effroi s'échappaient de toutes les bouches, et il n'y avait que Francis Gordon à se taire!...

La sphère d'or venait de s'immobiliser!... Ah! Quel espoir revint à tous qu'elle ne roulerait pas au-delà, qu'elle ne franchirait pas l'arête du plateau, l'inclinaison étant moins prononcée en cet endroit. Oui! les chances étaient maintenant pour qu'elle demeurât à cette place!... Et alors elle s'y refroidirait graduellement... Et il serait possible de s'en approcher... Et le représentant du gouvernement danois mettrait enfin la main sur ce trésor céleste!... Et M. Forsyth, M. Hudelson pourraient lui prodiguer leurs caresses!... Et on prendrait des mesures pour le mettre à l'abri de tout malheur en attendant qu'un millier de navires fussent venus prendre à Upernavik leur cargaison d'or!...

«Eh bien, monsieur Stanfort, est-il sauvé, le bolide?»

Comme une réponse à cette demande de Mrs Arcadia Walker qui s'était rapprochée de la grève, un effroyable craquement se fit entendre... La roche venait de céder, et le météore se précipitait dans la mer...

Et si les échos du littoral ne répercutèrent pas l'énorme clameur de la foule, c'est que cette clameur fut à l'instant couverte par les fracas d'une explosion plus violente que les éclats de la foudre qui déchire les nuages!...

Il passa comme un mascaret aérien à la surface de l'île, et, sans en excepter un seul, les spectateurs furent irrésistiblement renversés sur le sol...

Le bolide venait de faire explosion comme tant d'autres aérolithes ou météorites qui éclatent en traversant les couches atmosphériques... Et, en même temps, sous l'action de sa haute température, les eaux se dispersaient en tourbillons de vapeurs !...

Aussi arriva-t-il qu'une prodigieuse lame, soulevée par la chute du bolide, se précipita contre le littoral et retomba avec une fureur à laquelle rien n'aurait pu résister.

Par malheur, Mrs Arcadia Walker fut saisie par cette lame, renversée, entraînée, lorsque la masse liquide revint vers la grève !...

M. Seth Stanfort s'était jeté à son secours, presque sans espoir de la sauver, risquant sa vie pour elle, et dans de telles conditions, qu'il y aurait à compter deux victimes, au lieu d'une seule !...

Seth Stanfort parvint à rejoindre la jeune femme au moment où elle allait être entraînée, et s'arc-boutant contre une roche, il put résister au remous de cette monstrueuse lame...

Alors Francis Gordon, et quelques autres se précipitèrent vers eux, et les ramenèrent en arrière de la grève.

M. Seth Stanfort n'avait point perdu connaissance, mais Mrs Arcadia Walker était inanimée. Les soins les plus empressés la rappelèrent à la vie, et, en pressant la main de son ancien mari, elle lui dit en propres termes :

« Du moment que je devais être sauvée, il était tout indiqué, mon cher Seth, que ce fût vous le sauveur ! »

Mais, moins heureux que Mrs Arcadia Walker, le merveilleux bolide n'avait pu échapper à son funeste sort ! Il avait été précipité dans l'abîme, et, en admettant même que, au prix d'efforts inouïs, on aurait pu le retirer de ces profondes couches au pied de la falaise, il fallait renoncer à cet espoir...

En effet, le noyau avait fait explosion. Ses milliers de débris s'étaient éparpillés au large, et lorsque M. de Schack, M. Dean Forsyth, le docteur Hudelson cherchèrent à en retrouver quelques parcelles sur le littoral, recherches vaines, et de ces quatre milliards, il ne restait rien de l'extraordinaire météore !

XVII

Dernier chapitre où sont rapportés les derniers faits relatifs à cette histoire purement imaginaire, et dans lequel le dernier mot reste à M. John Proth, juge de paix à Whaston.

Maintenant, leur curiosité satisfaite, ces milliers de curieux n'avaient plus qu'à partir.

Satisfaite, peut-être ne l'avait-elle pas été. Cela valait-il les fatigues d'un pareil voyage, les frais d'une expédition qu'au bassin polaire, et, pour tout résultat, d'avoir aperçu le météore pendant quelques heures sur ce plateau rocheux, mais sans qu'il eût été possible de l'approcher de plus près que quatre cents mètres ? Et, encore, s'il ne s'était pas précipité dans l'abîme, si ce précieux cadeau du Ciel à la Terre n'eut été à jamais perdu !... Quel déplorable dénouement à cette affaire qui venait de passionner le monde entier, et particulièrement la Grande-Bretagne, les États-Unis, la Russie, la Norvège, l'Afghanistan, le Nicaragua, le Costa-Rica, et enfin le Danemark ! Ainsi, les savants n'avaient point fait erreur... La sphère d'or était tombée sur un des territoires appartenant au domaine colonial du Danemark... Et actuellement, il n'en restait plus rien, et pas une parcelle du bolide ne s'était mêlée au sable de cette grève du nord-ouest de l'île Upernavik...

Y avait-il lieu de compter qu'un second météore du prix de milliers de milliards reparaîtrait sur un des horizons terrestres ?... Non, certes, non !... Une pareille éventualité ne se réaliserait plus, sans doute. Qu'il y eût de ces astres d'or flottant dans l'espace, c'était possible, mais si faible paraissait être cette chance qu'ils fussent lancés dans le cercle d'attraction de la terre, que personne ne pouvait lui accorder la moindre valeur.

Et c'était heureux en somme. Quatre trillions d'or jetés dans la circulation eussent amené le complet avilissement de ce métal – vil pour ceux qui n'ont rien, précieux pour ceux qui ont tout. Non ! il n'y avait point à regretter la perte de ce bolide dont la possession eût troublé les marchés financiers du monde... à moins que le Danemark n'eût eu la sagesse de l'enfermer dans une vitrine, comme objet de musée météorolique, et de ne jamais l'en sortir sous forme de ducats, de (couronnes)[1] et autres monnaies danoises !

Cependant, ce dénouement, les intéressés avaient bien le droit de le considérer comme une déception. Avec quel chagrin, M. Dean Forsyth et M. Stanley Hudelson allèrent contempler la place où s'était produite l'explosion de leur bolide ! Et c'est en vain qu'ils en cherchèrent quelques débris sur le sable... Pas un grain de cet or céleste, dont ils auraient pu se fabriquer une épingle de cravate ou un bouton de manchettes, en admettant que M. de Schack ne l'eût point réclamé pour son propre pays !

Du reste, dans leur commune douleur, il semblait que les deux rivaux ne fussent plus sous l'influence de leur jalousie, et cela à l'extrême joie de Francis Gordon, comme à la réelle satisfaction de M. Seth Stanfort et de Mrs Arcadia Walker. Et pourquoi ces anciens amis seraient-ils demeurés dans les termes d'une mortelle inimitié, puisqu'il n'y aurait même pas à donner leur nom à un météore qui n'existait plus.

Donc, il n'y avait qu'à s'éloigner des parages groenlandais, à revenir «bredouilles» – pour employer une juste expression de l'argot cynégétique –, à regagner des latitudes moins élevées de l'Amérique, de l'Asie, de l'Europe. Avant six semaines, la

---

1. Nous remplaçons un mot barré par «couronnes».

mer de Baffin, le détroit de Davis, seraient impraticables, les glaces les auraient envahis, et la flottille, actuellement mouillée devant Upernavik, eût été bloquée pour huit mois. Or, il ne convenait à aucun de ces passagers d'hiverner dans ces régions hyperboréennes.

Ah! si le bolide eut été toujours là, s'il avait été nécessaire de monter la garde jusqu'au retour de la belle saison près de la sphère d'or, sûrement M. de Schack, peut-être même M. Dean Forsyth et le docteur Hudelson auraient bravé les rigueurs d'un hiver arctique. Mais, d'aérien qu'il fut, le bolide était devenu marin, et même sous-marin : il n'y avait plus à s'en occuper.

Tous ces navires anglais, américains, danois, français, allemands, russes, levèrent l'ancre dans la matinée du 7 août, par une jolie brise du nord-est qui favorisa leur navigation à travers l'archipel d'Upernavik. Ce n'étaient point des voiliers, d'ailleurs, et ces steamers de bonne marche, leur hélice les mettrait rapidement hors du détroit.

S'il est inutile de dire que MM. Forsyth et Omicron, le docteur Hudelson, Francis Gordon avaient repris leur cabine à bord du *Mozik*, il ne l'est pas de dire que Mrs Arcadia Walker s'y était embarquée, ainsi que l'avait fait M. Seth Stanfort. M. de Schack ayant pris passage sur un navire danois qui retournait directement à Copenhague, sa cabine s'était trouvée libre, et on avait pu la mettre à la disposition de la passagère, désireuse de revenir par le plus court en Amérique.

La traversée du détroit de Davis ne fut pas trop méchante aux cœurs mal aguerris contre le mal de mer. À suivre la côte groenlandaise, le *Mozik* s'abritait contre les houles du large, et ce fut sans avoir été sérieusement éprouvés que ses passagers laissèrent en arrière le cap Farewell dans la soirée du 15 août.

Mais, à partir de ce moment, le roulis et le tangage ne tardèrent pas à faire de nouvelles victimes, et combien, uniquement pour satisfaire leur curiosité, regrettèrent de s'être aventurés dans un si inutile et si pénible voyage!

M. Forsyth et M. Hudelson se virent donc de nouveau réunis dans cette abominable communauté des haut-le-cœur, et Francis Gordon ne cessa de leur partager ses soins.

En ce qui concerne M. Seth Stanfort et Mrs Arcadia Walker, avec l'habitude de longues traversées, ils furent indemnes de tout mal, et, pour eux, le temps s'écoula en agréables conversations. Parlaient-ils du passé, parlaient-ils de l'avenir? Grosse question... Francis Gordon, qui se mêlait souvent à leurs entretiens, put constater qu'une réciproque sympathie existait toujours entre les deux anciens époux séparés par la barrière du divorce.

À la première station sémaphorique devant laquelle parut le *Mozik* sur la côte américaine, il envoya une information faisant à la fois connaître et son prochain retour et quel avait été le dénouement de cette campagne dans les mers boréales.

Ce fut donc de ce steamer que vint la première nouvelle du météore, de sa chute sur l'île Upernavik, et de son engloutissement dans les profondeurs de la mer de Baffin.

Si cette nouvelle se répandit avec une extraordinaire rapidité, si les fils et les câbles télégraphiques la lancèrent à travers l'Ancien et le Nouveau Monde en quelques heures, si l'émotion fut grande en apprenant quelle avait été la fin déplorable, on pourrait même dire un peu ridicule, de ce bolide dont s'était si prodigieusement occupé la curiosité et aussi l'avidité humaines, inutile d'y insister. Affirmer que ce fut là un deuil public serait peut-être exagéré, mais, cependant, il n'y eut guère en Amérique que cet irrespectueux *Punch* de Whaston à rire de cette déconvenue météorologique.

À la date du 27 août, après une traversée que troublèrent trop souvent les vents de l'est au grand déplaisir de la plupart des passagers, le *Mozik* jeta l'ancre dans le port de Charleston.

De la Caroline du Sud à la Virginie, la distance n'est pas considérable et, d'ailleurs, les rails-roads ne manquent point aux États-Unis. Il suit de là que, dès le lendemain, 28 août, M. Dean Forsyth et Omicron, d'une part, M. Stanley Hudelson de l'autre, étaient de retour, les premiers à la tour d'Elizabeth-street, le second au donjon de Morris-street.

On les attendait depuis que la prochaine arrivée du *Mozik* avait été annoncée par le sémaphore américain. Mrs Hudelson et ses deux filles se trouvaient à la gare de Whaston lorsque le train de Charleston déposa les trois voyageurs. Et vraiment ils ne purent qu'être très touchés de l'accueil qui leur fut fait. Ni M. Forsyth ni le docteur ne parurent s'étonner que Francis Gordon pressât dans ses bras sa fiancée qui allait enfin devenir sa femme, ni qu'il eût cordialement embrassé Mrs Hudelson. Quant à cette étourdie de miss Loo, ne voilà-t-il pas qu'elle se jette au cou de M. Dean Forsyth, en lui disant :

« Eh bien, c'est fini, n'est-ce pas ? »

Et, en effet, c'était fini et comme le disaient volontiers les Latins dans la langue qui leur était familière : *Sublata causa, tollitur effectus*. Plus de cause, plus d'effet. C'est bien ce que firent remarquer les journaux de la localité, sans en excepter le *Punch*, qui publia un charmant article, plein d'humour sur le retour des anciens rivaux.

Il ne reste plus à mentionner que le 5 septembre les cloches de Saint-Andrew répandirent à toute volée leurs sonores ondulations sur la cité virginienne. C'est devant une assemblée, qui comprenait les parents, les amis des deux familles, les notabilités de la ville, que le révérend O'Garth célébra le mariage de Francis Gordon et de Jenny Hudelson, après tant de vicissitudes dues à la présence de cet invraisemblable météore sur l'horizon terrestre !

Et, qu'on n'en doute pas, la bonne Mitz, toute émue, était présente à la cérémonie, et miss Loo, toute charmante avec sa belle robe, prête depuis deux mois !...

Du reste, si les choses tournèrent si bien pour les familles Forsyth et Hudelson, elles prirent une non moins bonne tournure pour M. Seth Stanfort et Mrs Arcadia Walker.

Cette fois, ce ne fut ni à cheval, ni l'un après l'autre qu'ils présentèrent leurs papiers en règle, à la maison du juge Proth. Non ! ils y vinrent au bras l'un de l'autre. Et, lorsque le magistrat eut rempli son office en remariant les deux anciens époux séparés par un divorce de quelques semaines, il s'inclina galamment devant eux.

« Merci, monsieur Proth, dit Mrs Stanfort.

— Et adieu », ajouta M. Seth Stanfort.

Et lorsque ce digne philosophe se retrouva avec sa vieille servante, au moment où il retournait à son jardin :

« J'aurais peut-être mieux fait de ne pas leur dire adieu, lui déclara-t-il, mais au revoir ! »

ACHEVÉ D'IMPRIMER
CHEZ
MARC VEILLEUX,
IMPRIMEUR À BOUCHERVILLE,
EN FÉVRIER MIL NEUF CENT QUATRE-VINGT-DIX-HUIT